یاد داشت

دورانِ مُطالَعہ ضَرورتاً انڈر لائن کیجئے، اِشارات لکھ کر صَفْحہ نمبر نوٹ فرما لیجئے، اِنْ شَآءَ اللہ عَزَّوَجَلَّ عِلْم میں ترقّی ہوگی۔

عُنوان	صَفْحہ	عُنوان	صَفْحہ

عُنوان	صَفْحہ	عُنوان	صَفْحہ

لَبَّیْکَ اَللّٰھُمَّ لَبَّیْکَ

رفیقُ المعتمِرین

عُمرے کا طریقہ اور دعائیں

مؤلِّف:

شیخِ طریقت، امیرِ اہلسنّت، بانیِ دعوتِ اسلامی حضرت علّامہ مولانا

ابو بلال محمد الیاس عطّار قادِری رضوی دامت برکاتہم العالیہ

مکتبۃُ المدینہ بابُ المدینہ کراچی

اَلْحَمْدُ لِلّٰہِ رَبِّ الْعٰلَمِیْنَ وَ الصَّلٰوۃُ وَالسَّلَامُ عَلٰی سَیِّدِ الْمُرْسَلِیْنَ اَمَّا بَعْدُ فَاَعُوْذُ بِاللّٰہِ مِنَ الشَّیْطٰنِ الرَّجِیْمِ ط بِسْمِ اللّٰہِ الرَّحْمٰنِ الرَّحِیْمِ ط

نام کتاب: رفیق المعتمرین (مع ترمیم واضافہ)

مؤلِّف: شیخِ طریقت، امیرِ اہلسنّت، بانیِ دعوتِ اسلامی حضرت علّامہ مولانا
ابوبلال محمد الیاس عطّاؔر قادری رضوی دَامَتْ بَرَکَاتُہُمُ الْعَالِیَہ

تاریخِ اشاعت: ربیع الآخر ۱۴۳۴ھ، مارچ 2013ء تعداد: 10000 (دس ہزار)

تاریخِ اشاعت: ذوالحجہ ۱۴۳۴ھ، اکتوبر 2013ء تعداد: 20000 (بیس ہزار)

تاریخِ اشاعت: جمادی الاخریٰ ۱۴۳۵ھ، اپریل 2014ء تعداد: 15000 (پندرہ ہزار)

تاریخِ اشاعت: ذوالحجہ ۱۴۳۵ھ، اکتوبر 2014ء تعداد: 20000 (بیس ہزار)

ناشِر: مکتبۃ المدینہ عالمی مَدَنی مرکز فیضانِ مَدینہ باب المدینہ کراچی

مکتبۃ المدینہ کی شاخیں

- **کراچی**: شہید مسجد، کھارادر، باب المدینہ کراچی — فون: 021-32203311
- **لاھور**: داتا دربار مارکیٹ، گنج بخش روڈ — فون: 042-37311679
- **سردار آباد**: (فیصل آباد) امین پور بازار — فون: 041-2632625
- **کشمیر**: چوک شہیداں، میر پور — فون: 058274-37212
- **حیدر آباد**: فیضانِ مدینہ، آفندی ٹاؤن — فون: 022-2620122
- **ملتان**: نزد پیپل والی مسجد، اندرون بوہڑ گیٹ — فون: 061-4511192
- **اوکاڑہ**: کالج روڈ بالمقابل غوثیہ مسجد، نزد تحصیل کونسل ہال — فون: 044-2550767
- **راولپنڈی**: فضل داد پلازہ، کمیٹی چوک، اقبال روڈ — فون: 051-5553765
- **خان پور**: دُرانی چوک، نہر کنارہ — فون: 068-5571686
- **نواب شاہ**: چکرا بازار، نزد MCB — فون: 024-4362145
- **سکھر**: فیضانِ مدینہ، بیراج روڈ — فون: 071-5619195

فہرس

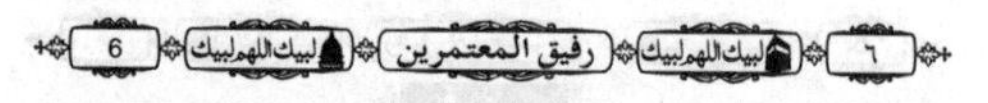

اَلۡحَمۡدُ لِلّٰہِ رَبِّ الۡعٰلَمِیۡنَ وَ الصَّلٰوۃُ وَالسَّلَامُ عَلٰی سَیِّدِ الۡمُرۡسَلِیۡنَ اَمَّا بَعۡدُ فَاَعُوۡذُ بِاللّٰہِ مِنَ الشَّیۡطٰنِ الرَّجِیۡمِ ؕ بِسۡمِ اللّٰہِ الرَّحۡمٰنِ الرَّحِیۡمِ ؕ

عُمرے والے کیلئے 52 نِیّتیں (مَع رِوایات، حِکایات و مَدَنی پھول)

(حُجّاج و مُعْتَمِرین ان میں سے موقع کی مُناسَبت سے وہ نیّتیں کرلیں جن پر عمل کرنے کا واقِعی ذِہْن ہو)

﴿1﴾ صِرف رِضائے الٰہی عَزَّوَجَلَّ پانے کے لئے عُمرہ کروں گا۔ (قَبولیّت کیلئے اِخلاص شَرْط ہے اور اِخلاص حاصل کرنے میں یہ بات بَہُت مُعاوِن ہے کہ رِیا کاری اور شہرت کے تمام اسباب تَرْک کردیئے جائیں) ﴿2﴾ حُضُور ِ اکرم صَلَّی اللہ تعالٰی علیہ والہٖ وسلَّم کی پیروی میں عُمرہ کروں گا ﴿3﴾ ماں باپ کی رِضامندی لے لوں گا۔ (بیوی شوہر کو رِضامند کرے، مقروض جو ابھی قرض ادا نہیں کرسکتا تو اُس (قرض خواہ) سے بھی اجازت لے۔ (مُلَخَّص از بہارِ شریعت ج۱ص۱۰۵۱))

﴿4﴾ مالِ حلال سے عُمرہ کروں گا ﴿5﴾ چلتے وَقْت گھر والوں، رشتے داروں اور دوستوں سے قُصور مُعاف کرواؤں گا، ان سے دُعا کرواؤں گا۔ (دوسروں سے دعا کروانے سے بَرَکت حاصِل ہوتی ہے، اپنے حق میں دوسرے کی دُعا قَبول ہونے کی زیادہ امّید ہوتی ہے۔ دعوتِ اسلامی کے اشاعَتی ادارے مکتبۃُ الْمدینہ کی مطبوعہ 326 صَفْحات پر مشتمل کتاب ''فضائلِ دُعا'' صَفْحہ 111 پر منقول ہے، حضرتِ موسیٰ عَلَیْہِ الصَّلٰوۃُ وَالسَّلام کو خطاب ہوا: اے موسیٰ! مجھ سے اُس منہ کے ساتھ دُعا مانگ جس سے تُو نے گناہ نہ کیا۔ عَرْض کی: الٰہی! وہ منہ کہاں سے لاؤں؟ (یہاں انْبِیاء علیہمُ الصَّلٰوۃُ وَالسَّلام کی تواضُع ہے ورنہ وہ یقیناً ہر گناہ سے

معصوم ہیں) فرمایا: اَوروں سے دُعا کرا کہ اُن کے مُنہ سے تُو نے گناہ نہ کیا۔ (مُلَخَّص اَز مثنوی مولانا روم دفتر سوم ص۳۱) ﴿6﴾ حاجت سے زائد تَوشہ (اَخراجات) رکھ کر رُفَقاء پر خَرچ اور فُقَراء پر تَصدُّق (یعنی خیرات) کر کے ثواب کماؤں گا ﴿7﴾ زَبان اور آنکھ وغیرہ کی حفاظت کروں گا۔ (نصیحتوں کے مَدَنی پھول صَفْحَہ 29 اور 30 پر ہے: (۱) (حدیثِ پاک ہے: اللہ عَزَّوَجَلَّ فرماتا ہے) اے ابنِ آدم! تیرا دِین اُس وَقْت تک دُرُست نہیں ہوسکتا جب تک تیری زَبان سیدھی نہ ہو اور تیری زَبان تب تک سیدھی نہیں ہوسکتی جب تک تُو اپنے ربّ عَزَّوَجَلَّ سے حَیا نہ کرے۔ (۲) جس نے میری حرام کردہ چیزوں سے اپنی آنکھوں کو جُھکا لیا (یعنی انہیں دیکھنے سے بچا) میں اسے جہنّم سے اَمان (یعنی پناہ) عطا کردوں گا) ﴿8﴾ دَورانِ سفر ذِکْر و دُرُود سے دل بہلاؤں گا۔ (اس سے فِرِشتہ ساتھ رہے گا! گانے باجے اور لَغْوِیات کا سلسلہ رکھا تو شیطان ساتھ رہے گا) ﴿9﴾ اپنے لئے اور تمام مسلمانوں کے لئے دُعا کرتا رہوں گا۔ (مسافر کی دعا قَبول ہوتی ہے۔ نیز ''فضائلِ دُعا'' صَفْحَہ 220 پر ہے: مسلمان کہ مسلمان کے لیے اُس کی غَیْبت (یعنی غیر موجودگی) میں (جو) دُعا مانگے (وہ قَبول ہوتی ہے) حدیث شریف میں ہے: یہ (یعنی غیر موجودگی والی) دُعا نہایت جلد قَبول ہوتی ہے۔ فِرِشتے کہتے ہیں: اُس کے حق میں تیری دعا قَبول اور تجھے بھی اسی طرح کی نِعمت حُصُول) ﴿10﴾ سب کے ساتھ اچّھی گفتگو کروں گا، اور حسبِ حیثیّت مسلمانوں کو کھانا کھلاؤں گا ﴿11﴾ پریشانیاں آئیں گی تو صَبْر کروں گا ﴿12﴾

اپنے رُفَقاء کے ساتھ حُسنِ اَخلاق کامُظاہَرہ کرتے ہوئے ان کے آرام وغیرہ کا خَیال رکھوں گا، غصّے سے بچوں گا، بے کار باتوں میں نہیں پڑوں گا، لوگوں کی (ناخوشگوار) باتیں برداشت کروں گا ﴿13﴾ تمام خوش عقیدہ مسلمان عَرَبوں سے (وہ چاہے کتنی ہی سختی کریں، میں) نرمی کے ساتھ پیش آؤنگا۔ (بہارِ شریعت جلد اوّل حصّہ 6 صَفْحَہ 1060 پر ہے: بدوؤں اور سب عَرَبیوں سے بَہُت نرمی کے ساتھ پیش آئے، اگر وہ سختی کریں (بھی تو) ادب سے تَحَمُّل (یعنی برداشت) کرے اِس پر شَفاعت نصیب ہونے کا وعدہ فرمایا ہے۔ خُصُوصاً اہلِ حَرَمین، خُصُوصاً اہلِ مدینہ۔ اہلِ عَرَب کے اَفعال پر اِعتِراض نہ کرے، نہ دل میں کَدُورَت (یعنی مَیل) لائے، اِس میں دونوں جہاں کی سعادت ہے) ﴿14﴾ بِھیڑ کے موقع پر بھی لوگوں کو اَذِیَّت نہ پہنچے اِس کا خَیال رکھوں گا اور اگر خود کو کسی سے تکلیف پہنچی تو صَبْر کرتے ہوئے مُعاف کروں گا۔ (حدیثِ پاک میں ہے: جو شخص اپنے غُصّے کو روکے گا اللہ عَزَّوَجَلَّ قِیامت کے روز اُس سے اپنا عذاب روک دے گا۔ (شُعَبُ الْإيمان ج٦ ص٣١٥ حديث ٨٣١١)) ﴿15﴾ مسلمانوں پر اِنفِرادی کوشِش کرتے ہوئے ''نیکی کی دعوت'' دے کر ثواب کماؤں گا ﴿16﴾ سفر کی سنّتوں اور آداب کا حتَّی الْاِمکان خیال رکھوں گا ﴿17﴾ اِحْرام میں لَبَّیْك کی خوب کثرت کروں گا۔ (اسلامی بھائی بُلند آواز سے کہے اور اسلامی بہن پَست آواز سے) ﴿18﴾ مسجِدَینِ کَرِیْمَین (بلکہ ہر جگہ ہر مسجد) میں داخِل ہوتے وَقْت پہلے

سیدھا پاؤں اندر رکھوں گا اور مسجِد میں داخِلے کی دُعا پڑھوں گا۔ اِسی طرح نکلتے وَقت اُلٹا پاؤں پہلے نکالوں گا اور باہَر نکلنے کی دُعا پڑھوں گا ﴿19﴾ جب جب کسی مسجِد خُصُوصاً مسجِدَینِ کَرِیْمَین میں داخِلہ نصیب ہوا، نفلی اعتِکاف کی نیّت کر کے ثواب کماؤں گا۔ (یاد رہے! مسجِد میں کھانا پینا، آبِ زم زم پینا، سَحَری و اِفطار کرنا اور سونا جائز نہیں، اعتِکاف کی نیّت کی ہوگی تو ضِمْناً یہ سب کام جائز ہو جائیں گے) ﴿20﴾ کعبۂ مُشَرَّفہ زَادَھَا اللّٰہُ شَرَفًا وَّتَعْظِیْمًا پر پہلی نَظَر پڑتے ہی دُرُودِ پاک پڑھ کر دعا مانگوں گا ﴿21﴾ دَورانِ طَواف "مُسْتَجاب" پر (جہاں ستّر ہزار فِرِشتے دُعا پر اٰمین کہنے کے لئے مقرّر ہیں وہاں) اپنی اور ساری اُمّت کی مغفِرت کیلئے دُعا کروں گا ﴿22﴾ جب جب آبِ زَم زَم پیوں گا، ادائے سنّت کی نیّت سے قبلہ رُو، کھڑے ہوکر، بِسْمِ اللّٰہ پڑھ کر، چوس چوس کر تین ۳ سانس میں، پیٹ بھر کر پیوں گا، پھر دُعا مانگوں گا کہ وَقتِ قَبول ہے۔ (فرمانِ مصطفٰے صَلَّی اللّٰہ تعالیٰ علیہ واٰلہٖ وسلَّم: ہم میں اور مُنافِقوں میں یہ فرق ہے کہ وہ زَمزَم کوکھ (یعنی پیٹ) بھر نہیں پیتے۔ (ابن ماجہ ج ۳ ص ۴۸۹ حدیث ۳۰۶۱)) ﴿23﴾ مُلْتَزَم سے لپٹتے وَقت یہ نیّت کیجئے کہ مَحبّت وشوق کے ساتھ کعبہ اور ربِّ کعبہ عَزَّوَجَلَّ کا قُرب حاصِل کر رہا ہوں اور اُس کے تعلُّق سے بَرَکت پا رہا ہوں۔ (اُس وَقت یہ امّید رکھئے کہ بدن کا ہر وہ حصّہ جو کعبۂ مُشرَّفہ سے مَس (TOUCH) ہوا ہے اِنْ شَآءَاللّٰہ جہنَّم سے آزاد ہوگا) ﴿24﴾ غلافِ کعبہ سے چمٹتے وَقت یہ نیّت کیجئے کہ

مغفِرت وعافیت کے سُوال میں اِصرار کررہاہوں، جیسے کوئی خطا کار اُس شخص کے کپڑوں سے لپٹ کرگڑگڑاتا ہے جس کا وہ مُجرِم ہے اور خوب عاجزی کرتا ہے کہ جب تک اپنے جُرم کی مُعافی اور آیندہ کے اَمن وسلامَتی کی ضمانت نہیں ملے گی دامن نہیں چھوڑوں گا۔ (غلافِ کعبہ وغیرہ پر لوگ کافی خوشبو لگاتے ہیں لہٰذا اِحرام کی حالت میں اِحتیاط کیجئے) ﴿25﴾ رَمْیِ جَمرات میں **حضرتِ سیِّدُنا ابراھیم خلیلُ الله** عَلٰی نَبِیِّنا وَعَلَیْہِ الصَّلٰوۃُ وَالسَّلام کی مُشابَہَت (یعنی مُوافَقَت) اور **سرکارِ مدینہ** صَلَّی اللہ تعالٰی علیہ واٰلہٖ وسلَّم کی **سنّت پرعمل**، شیطان کو رُسوا کر کے مار بھگانے اور خواہشاتِ نفسانی کو رَجْم (یعنی سنگسار) کرنے کی نیّت کیجئے۔ (**حِکایت**: حضرتِ سیِّدُنا جُنید بغدادی عَلَیْہِ رَحمۃُ اللہِ الھادِی نے ایک حاجی سے پوچھا کہ تُو نے رَمْی کے وَقت نفسانی خواہشات کوکنکریاں ماریں یانہیں؟ اُس نے جواب دیا: نہیں۔ فرمایا: تو پھر تُو نے رَمْی ہی نہیں کی۔ (یعنی رَمْی کا پوراحق ادا نہیں کیا) (مُلَخَّص از کشف المحجوب ص ۳۶۳))

﴿26﴾ طواف وسَعْی میں لوگوں کو دھکّے دینے سے بچتا رہوں گا۔ (جان بوجھ کر کسی کو اس طرح دھکّے دینا کہ ایذا پہنچے بندے کی حق تلَفی اور گناہ ہے، توبہ بھی کرنی ہوگی اور جس کو اِیذا پہنچائی اُس سے مُعاف بھی کرانا ہوگا۔ بُزرگوں سے منقول ہے: ایک دانگ کی (یعنی معمولی سی) مقدار **الله** تَعالٰی کے کسی ناپسندیدہ فعل کوترک کر دینا مجھے **پانچ سو نفلی حج** کرنے سے زیادہ پسندیدہ ہے۔ (جامع العلوم والحکم لابن رجب ص ۱۲۵)) ﴿27﴾ عُلَماء ومشائخِ اہلسنّت کی زِیارت وصُحبت سے

بَرَکت حاصِل کروں گا، ان سے اپنے لئے بے حساب مغفِرت کی دعا کرواؤں گا ﴿28﴾ عبادات کی کثرت کروں گا بالخصوص نَمازِ پنجگانہ پابندی سے ادا کروں گا ﴿29﴾ گناہوں سے ہمیشہ کیلئے توبہ کرتا ہوں اور صِرف اچھی صُحبت میں رہا کروں گا ﴿30﴾ واپَسی کے بعد گناہوں کے قریب بھی نہ جاؤں گا، نیکیوں میں خوب اِضافہ کروں گا اور سنّتوں پر مزید عمل بڑھاؤں گا ﴿31﴾ مکّۂ مکرَّمہ اور مدینۂ منوَّرہ زادَھُمَا اللہُ شَرَفاً وَّتَعۡظِیۡمًا کے یادگار مبارَک مَقامات کی زِیارت کروں گا ﴿32﴾ سعادت سمجھتے ہوئے بہ نیّتِ ثواب مدینۂ منوَّرہ زادَھَا اللہُ شَرَفاً وَّتَعۡظِیۡمًا کی زِیارت کروں گا ﴿33﴾ سرکارِ مدینہ صَلَّی اللہ تعالیٰ علیہ واٰلہٖ وسلَّم کے دربارِ گُہر بار کی پہلی حاضِری سے قَبل غُسل کروں گا، نیا سفید لباس، سر پر نیا سربندنئی ٹوپی اور اس پر نیا عمامہ شریف باندھوں گا، سُرمہ اور عُمدہ خوشبو لگاؤں گا ﴿34﴾ اللہ عَزَّوَجَلَّ کے اس فرمانِ عالیشان:

وَلَوۡ اَنَّهُمۡ اِذۡ ظَّلَمُوۡۤا اَنۡفُسَهُمۡ جَآءُوۡكَ فَاسۡتَغۡفَرُوا اللّٰهَ وَاسۡتَغۡفَرَ لَهُمُ الرَّسُوۡلُ لَوَجَدُوا اللّٰهَ تَوَّابًا رَّحِيۡمًا ﴿٦٤﴾

(پ٥، النساء: ٦٤) (ترجَمۂ کنزالایمان: اور اگر جب وہ اپنی جانوں پر ظُلم کریں تو اے محبوب! تمہارے حُضُور حاضِر ہوں اور پھر اللہ سے مُعافی چاہیں اور رسول ان کی شَفاعت فرمائے تو ضَرور اللہ کو بَہُت توبہ قَبول کرنے والا مہربان پائیں) پر عمل کرتے ہوئے مدینے کے شَہَنْشاہ

صَلَّی اللہ تعالٰی علیہ واٰلہٖ وسلَّم کی بارگاہِ بیکس پناہ میں حاضِری دوں گا ﴿35﴾ اگر بس میں ہوا تو اپنے مُحسن وغمگسار آقا صَلَّی اللہ تعالٰی علیہ واٰلہٖ وسلَّم کی بارگاہِ بےکس پناہ میں اس طرح حاضِر ہوں گا جس طرح ایک بھاگا ہوا غلام اپنے آقا کی بارگاہ میں لرزتا کانپتا، آنسو بہاتا حاضِر ہوتا ہے۔ (حِکایت: سیِّدُنا امام مالِک عَلَیْہِ رَحْمَۃُ اللہِ الخَالِق جب سیِّدِ عالَم صَلَّی اللہ تعالٰی علیہ واٰلہٖ وسلَّم کا ذِکْر کرتے رنگ اُن کا بدل جاتا اور جُھک جاتے۔ حِکایت: حضرتِ سیِّدُنا امام مالِک عَلَیْہِ رَحْمَۃُ اللہِ الخَالِق سے کسی نے حضرتِ سیِّدُنا ایُّوب سَخْتِیانی قُدِّسَ سِرُّہُ الرَّبَّانِی کے بارے میں پوچھا تو فرمایا: میں جن حَضَرات سے رِوایت کرتا ہوں وہ اُن سب میں افضل ہیں، میں نے انہیں ۲ دو مرتبہ سفرِ حج میں دیکھا کہ جب ان کے سامنے نبیِّ کریم، رَءُوف رَّحیم عَلَیْہِ اَفْضَلُ الصَّلٰوۃِ وَالتَّسْلِیْم کا ذِکْرِ انور ہوتا تو وہ اتنا روتے کہ مجھے ان پر رَحْم آنے لگتا۔ میں نے ان میں جب تعظیمِ مصطَفٰے وعشقِ حبیبِ خدا کا یہ عالَم دیکھا تو مُتأَثِّر ہو کر ان سے احادیثِ مُبارَکہ روایت کرنی شُروع کیں۔ (الشفاء ج۲ ص ۴۱، ۴۲)) ﴿36﴾ سرکارِ نامدار صَلَّی اللہ تعالٰی علیہ واٰلہٖ وسلَّم کے شاہی دربار میں ادب واحتِرام اور ذوق وشوق کے ساتھ دَرْد بھری مُعتَدِل (یعنی درمیانی) آواز میں سلام عَرض کروں گا ﴿37﴾ حُکمِ قراٰنی:

یٰۤاَیُّهَا الَّذِیْنَ اٰمَنُوْا لَا تَرْفَعُوْۤا اَصْوَاتَكُمْ فَوْقَ صَوْتِ النَّبِیِّ وَ لَا تَجْهَرُوْا لَهٗ بِالْقَوْلِ كَجَهْرِ بَعْضِكُمْ لِبَعْضٍ اَنْ تَحْبَطَ اَعْمَالُكُمْ وَ اَنْتُمْ لَا تَشْعُرُوْنَ ﴿۲﴾

(پ ۲٦، الحجرات: ۲)(ترجَمۂ کنز الایمان: اے ایمان والو! اپنی آوازیں اونچی نہ کرو اس غیب بتانے والے (نبی) کی آواز سے اور ان کے حُضُور بات چلّا کر نہ کہو جیسے آپس میں ایک دوسرے کے سامنے چلّاتے ہو کہ کہیں تمہارے عمل اَکارت نہ ہو جائیں اور تمہیں خبر نہ ہو) پر عمل کرتے ہوئے اپنی آواز کو پست اور قدرے دھیمی رکھوں گا ﴿38﴾ اَسْئَلُکَ الشَّفَاعَۃَ یَارَسُوْلَ اللہ (یعنی یارسولَ اللہ صَلَّی اللہ تعالٰی علیہ واٰلہٖ وسلَّم! میں آپ کی شَفاعت کا سُوالی ہوں) کی تکرار کر کے شَفاعت کی بھیک مانگوں گا ﴿39﴾ شَیخَین کَرِیمَین رضی اللہ تعالٰی عنہما کی عَظمت والی بارگاہوں میں بھی سلام عَرض کروں گا ﴿40﴾ حاضِری کے وَقت اِدھر اُدھر دیکھنے اور سُنہری جالیوں کے اندر جھانکنے سے بچوں گا ﴿41﴾ جن لوگوں نے سلام پیش کرنے کا کہا تھا اُن کا سلام بارگاہِ شاہِ اَنام صَلَّی اللہ تعالٰی علیہ واٰلہٖ وسلَّم میں عَرض کروں گا ﴿42﴾ سُنہری جالیوں کی طرف پیٹھ نہیں کروں گا ﴿43﴾ جنَّتُ الْبقیع کے مَدفُونین کی خدمتوں میں سلام عَرض کروں گا ﴿44﴾ حضرتِ سیِّدُنا حمزہ رضی اللہ تعالٰی عنہ اور شُہَدائے اُحُد کے مَزارات کی زِیارت کروں گا، دُعا و ایصالِ ثواب کروں گا، جَبَلِ اُحُد کا دیدار کروں گا ﴿45﴾ مسجِدِ قُبا شریف میں حاضِری دوں گا ﴿46﴾ مدینۂ منوّرہ زَادَھَا اللہُ شَرَفًا وَّ تَعْظِیْمًا کے در و دیوار، بَرگ و بار، گل و خار اور پتّھر و غبار اور وہاں کی ہر شے کا خوب ادب واحترام کروں گا۔ (حِکایت: حضرتِ سیِّدُنا امام مالِک عَلَیْہِ رَحْمَۃُ اللہِ الْخَالِق

نے تعظیمِ خاکِ مدینہ کی خاطر مدینہ طیبہ زادَھَا اللہُ شَرَفاً وَّ تَعظِیماً میں کبھی بھی قضائے حاجت نہیں کی بلکہ ہمیشہ حَرَم سے باہَر تشریف لے جاتے تھے ،البتّہ حالتِ مَرَض میں مجبوری کی وجہ سے معذور تھے۔(بستان المحدثین ص۱۹)) **﴿47﴾ مدینۂ منوَّرہ** زادَھَا اللہُ شَرَفاً وَّ تَعظِیماً کی کسی بھی شے پر عیب نہیں لگاؤں گا۔(**حِکایت**: **مدینۂ منوَّرہ** زادَھَا اللہُ شَرَفاً وَّ تَعظِیماً میں ایک شَخص ہروَقت روتا اور مُعافی مانگتا رہتا تھا، جب اِس کا سبب پوچھا گیا تو بولا: میں نے ایک دن **مدینۂ منوَّرہ** زادَھَا اللہُ شَرَفاً وَّ تَعظِیماً کی **دَہی شریف** کو کھٹّا اور خراب کہہ دیا، یہ کہتے ہی میری نسبت سَلْب ہوگئی اور مجھ پر عِتاب ہوا (یعنی ڈانٹ پڑی) کہ "اَو دیارِ محبوب کی دَہی کو خراب کہنے والے! نگاہِ مَحبَّت سے دیکھ! محبوب کی گلی کی ہر ہر شے عمدہ ہے۔" (ماخوذ از بہارِ مثنوی ص ۱۲۸) **حِکایت**: حضرتِ سیِّدُنا امام مالک عَلَیْہِ رَحْمَۃُ اللہِ الخَالِق کے سامنے کسی نے یہ کہہ دیا کہ "مدینے کی مٹّی خراب ہے" یہ سن کر آپ رَحْمَۃُ اللہِ تعالیٰ علیہ نے فتویٰ دیا کہ اس گستاخ کو تیس دُرّے لگائے جائیں اور قید میں ڈال دیا جائے۔(الشفاء ج۲ ص۵۷) **﴿48﴾** عزیزوں اور اسلامی بھائیوں کو تُحفہ دینے کیلئے آبِ زَم زَم، **مدینۂ منوَّرہ** زادَھَا اللہُ شَرَفاً وَّ تَعظِیماً کی کھجوریں اور سادہ تَسبیحیں وغیرہ لاؤں گا۔(بارگاہِ اعلیٰ حضرت رَحْمَۃُ اللہِ تعالیٰ علیہ میں **سُوال** ہوا: تسبیح کس چیز کی ہونی چاہئے؟ آیا لکڑی کی یا پتّھر وغیرہ کی؟ **الجواب**: تسبیح لکڑی کی ہو یا پتّھر کی مگر بیش قیمت (یعنی قیمتی) ہونا مکروہ ہے اور سونے چاندی کی حرام۔(فتاوٰی رضویہ ج۲۳ ص۵۹۷)) **﴿49﴾** جب تک **مدینۂ منوَّرہ**

﴿50﴾ مدینۂ منوَّرہ زادَھَا اللہُ شَرَفاً وَّ تَعظِیْمًا میں رہوں گا دُرُود و سلام کی کثرت کروں گا زادَھَا اللہُ شَرَفاً وَّ تَعظِیْمًا میں قِیام کے دَوران جب جب سبز گُنْبد کی طرف گزر ہو گا، فوراً اُس طرف رُخ کر کے کھڑے کھڑے ہاتھ باندھ کر سلام عَرْض کروں گا۔(حِکایت: مدینۂ منوَّرہ زادَھَا اللہُ شَرَفاً وَّ تَعظِیْمًا میں سیِّدُ نا ابوحازِم رَحْمَۃُ اللہِ تعالیٰ علیہ کی خدمت میں حاضِر ہو کر ایک صاحِب نے بتایا: مجھے خواب میں جنابِ رسالت مآب صَلَّی اللہ تعالیٰ علیہ والہٖ وسلَّم کی زِیارت ہوئی، فرمایا: ابوحازِم سے کہدو، ''تم میرے پاس سے یوں ہی گزر جاتے ہو، رُک کر سلام بھی نہیں کرتے!'' اس کے بعد سیِّدُ نا ابوحازِم رَحْمَۃُ اللہِ تعالیٰ علیہ نے اپنا معمول بنالیا کہ جب بھی روضۂ انور کی طرف گزر ہوتا، ادب واحترام کے ساتھ کھڑے ہو کر سلام عرض کرتے، پھر آگے بڑھتے۔(المنامات مع موسوعة ابن أبی الدُّنیا ج۳ ص۱۵۳ حدیث۳۲۳))

﴿51﴾ اگر جنَّتُ الْبقیع میں مدفن نصیب نہ ہوا، اور مدینۂ منوَّرہ زادَھَا اللہُ شَرَفاً وَّ تَعظِیْمًا سے رُخصت کی جاں سوز گھڑی آگئی تو بارگاہِ رِسالت میں اَلْوَداعی حاضِری دوں گا اور گڑگڑا کر بلکہ ممکن ہوا تو رو رو کر بار بار حاضِری کی اِلتجا کروں گا ﴿52﴾ اگر بس میں ہُوا ہو تو ماں کی مامتا بھری گود سے جدا ہونے والے بچّے کی طرح بِلک بِلک کر روتے ہوئے دربارِ رسول کو بار بار حسرت بھری نگاہوں سے دیکھتے ہوئے رُخصت ہوں گا۔

اَلْحَمْدُ لِلّٰہِ رَبِّ الْعٰلَمِیْنَ وَ الصَّلٰوۃُ وَ السَّلَامُ عَلٰی سَیِّدِ الْمُرْسَلِیْنَ اَمَّا بَعْدُ فَاَعُوْذُ بِاللّٰہِ مِنَ الشَّیْطٰنِ الرَّجِیْمِ ط بِسْمِ اللّٰہِ الرَّحْمٰنِ الرَّحِیْمِ ط

آپ کو عَزْمِ مدینہ مُبارَک ہو

فرمانِ مصطفٰے صلَّی اللہ تعالٰی علیہ والہٖ وسلَّم ہے: ''عِلْم کا حاصل کرنا ہر مسلمان پر فَرض ہے۔'' (اِبن ماجہ ج ۱ ص ۱۴۶ حدیث ۲۲۴) اِس کی شَرح میں یہ بھی ہے کہ **حج وعُمرہ** ادا کرنے والے پر فرض ہے کہ **حج وعُمرہ** کے ضَروری مسائل جانتا ہو۔ عُمُوماً حُجّاج و **مُعْتَمِرِین** طَواف وسَعْی وغیرہ میں پڑھی جانے والی **عَرَبی دعاؤں** میں زیادہ دلچسپی لیتے ہیں اگرچہ یہ بھی بَہُت اچھا ہے جب کہ دُرُست پڑھ سکتے ہوں، اگر کوئی یہ دعائیں نہ بھی پڑھے تو گنہگار نہیں مگر **حج وعُمرہ** کے ضَروری مسائل نہ جاننا گناہ ہے۔ **رفیقُ الْمُعْتَمِرِین** اِنْ شَآءَ اللّٰہ عَزَّوَجَلَّ آپ کو بَہُت سارے گناہوں سے بچا لے گی۔ اَلْحَمْدُ لِلّٰہ عَزَّوَجَلَّ **رفیقُ الْمُعْتَمِرِین** برسوں سے لاکھوں کی تعداد میں چَھپ رہی ہے۔ اِس میں زیادہ تر **فتاوٰی رضویہ** شریف اور **بہارِ شریعت** جیسی مستند کتابوں میں مُنْدَرَج مسائل آسان کر کے لکھنے کی کوشِش کی گئی ہے، اب اس کے اندر مزید ترمیم واضافہ کیا گیا ہے اوراس پر **دعوتِ اسلامی** کی مجلس ''**المدینۃُ الْعِلمیہ**'' نے نَظَرِ ثانی کی ہے اور **دارُ الْاِفتاءِ اہلسنّت** نے اوّل تا آخر ایک ایک مسئلہ دیکھ کر رہنمائی فرمائی ہے۔ اَلْحَمْدُ لِلّٰہ عَزَّوَجَلَّ خوب اچھی اچھی نیّتیں کر کے **رفیقُ الْمُعْتَمِرِین** کی

ترکیب کی گئی ہے۔ وَاللہ! رفیقُ الْمُعْتَمِرِین کے ذَرِیْعے مدینے کے مسافِروں کی رہنمائی کر کے صِرْف وصِرْف ثواب آخرت کا حُصول مقصود ہے، ذاتی آمدنی کا تصوُّر نہیں۔ شیطٰن لاکھ سُستی دلائے مگر ہمّت ہارے بِغیر بہ نیتِ ثواب **رفیقُ الْمُعْتَمِرِین** اوّل تا آخِر پوری پڑھ لیجئے۔

بیان کردہ مسائل پر غور کیجئے، کوئی بات سمجھ میں نہ آئے تو عُلَماءِ اہلسنّت سے پوچھئے۔ اَلْحَمْدُ لِلّٰہ عَزَّوَجَلَّ! "رفیقُ الْمُعْتَمِرِین" کے اندر حج وعُمرے کے مسائل کے ساتھ ساتھ کثیر تعداد میں عَرَبی دُعائیں بھی مَع ترجمہ شامل ہیں۔ اگر سفرِ مدینہ میں **رفیقُ الْمُعْتَمِرِین** آپ کے ساتھ ہوئی تو اِنْ شَآءَ اللہ عَزَّوَجَلَّ! عُمرے کی کسی اور کتاب کی کم ہی حاجت ہوگی۔ ہاں، جو اس سے بھی زیادہ مسائل سیکھنا چاہے اور سیکھنا بھی چاہئے تو بہارِ شریعت حصہ 6 کا مُطالَعہ کرے۔

مَدَنی اِلتجا: ہو سکے تو 12 عدد **رفیقُ الْمُعْتَمِرِین**، 12 عدد جیبی سائز کے کوئی سے بھی رسائل اور 12 عدد سنّتوں بھرے بیانات کی V.C.Ds مکتبۃُ الْمدینہ سے ہَدِیۃً حاصِل کر کے ساتھ لے لیجئے اور حُصولِ ثواب کیلئے وہاں تقسیم فرما دیجئے نیز فراغت کے بعد بہ نیّتِ ثواب اپنی **رفیقُ الْمُعْتَمِرِین** بھی حَرَمینِ طیّبین ہی میں کسی اسلامی بھائی کو پیش کر دیجئے۔

بارگاہِ رسالت صَلَّی اللہ تعالٰی علیہ والہٖ وسلَّم ، **شَیخینِ کَریمَین** رضی اللہ تعالٰی عنہما اور سیِّدُنا حمزہ ، شُہَداءِ اُحُد ، اہلِ بقیع و مَعْلٰی کے مدفونین کی بارگاہوں میں میرا سلام عَرض کیجئے گا۔ دورانِ سفر بالخصوص حَرَمینِ طَیِّبَین میں مجھ گنہگار کی بے حساب بخشش اور تمام اُمّت کی مغفِرت کی دُعا کے لیے مَدَنی اِلتجا ہے۔ **اللہ** عَزَّوَجَلَّ آپ کا عُمرہ و سفرِ مدینہ آسان کرے اور قبول فرمائے۔

اٰمین بِجاہِ النَّبِیِّ الْاَمین صَلَّی اللہ تعالٰی علیہ والہٖ وسلَّم

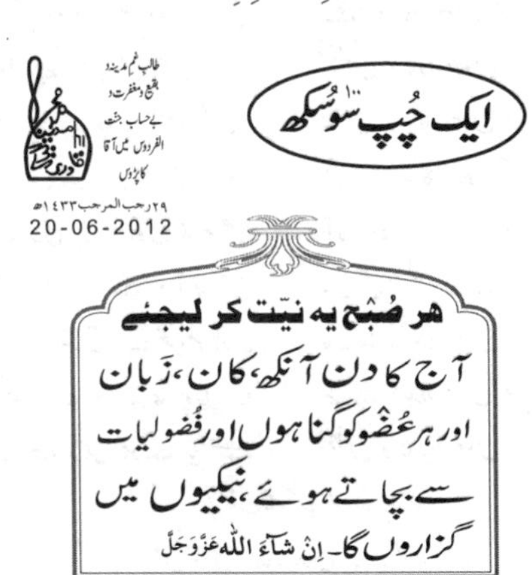

گو ذلیل وخوار ہوں کر دو کرم

(اَلْحَمْدُ لِلّٰہ یہ کلام ١٤١٤ھ کی حاضری میں ٢٩ ذُوالحجّۃِ الحرام کو مسجدِ نبوی علٰی صاحِبِها الصّلوٰۃُ وَالسّلام میں بیٹھ کر قلم بند کیا)

گو ذلیل وخوار ہوں کر دو کرم — پر سگِ دربار ہوں کر دو کرم

یارسولَ اللّٰہ! رحمت کی نظر — حاضِرِ دربار ہوں کر دو کرم

رَحمتوں کی بھیک لینے کے لئے — حاضِرِ دربار ہوں کر دو کرم

دَرْدِ عِصیاں کی دوا کے واسطے — حاضِرِ دربار ہوں کر دو کرم

اپنا غم دو چشمِ نَم دو دردِ دل — حاضِرِ دربار ہوں کر دو کرم

آہ! پلّے کچھ نہیں حُسنِ عمل! — مُفلس و نادار ہوں کر دو کرم

عِلْم ہے نہ جذبۂ حُسنِ عمل! — ناقِص و بیکار ہوں کر دو کرم

عاصِیوں میں کوئی ہم پلّہ نہ ہو! — ہائے وہ بدکار ہوں کر دو کرم

ہے ترقّی پر گناہوں کا مَرَض — آہ! وہ بیمار ہوں کر دو کرم

تم گنہگاروں کے ہو آقا شَفیع — میں بھی تو حق دار ہوں کر دو کرم

دولتِ اَخلاق سے محروم ہوں — ہائے! بدگُفتار ہوں کر دو کرم

آنکھ دے کر مُدّعا پورا کرو — طالبِ دیدار ہوں کر دو کرم

دوست، دشمن ہوگئے یامصطَفٰے — بیکس و لاچار ہوں کر دو کرم

کر کے توبہ پھر گُنہ کرتا ہے جو
میں وُہی عطّار ہوں کر دو کرم

اَلْحَمْدُ لِلّٰہِ رَبِّ الْعٰلَمِیْنَ وَالصَّلٰوۃُ وَالسَّلَامُ عَلٰی سَیِّدِ الْمُرْسَلِیْنَ
اَمَّا بَعْدُ فَاَعُوْذُ بِاللّٰہِ مِنَ الشَّیْطٰنِ الرَّجِیْمِ ؕ بِسْمِ اللّٰہِ الرَّحْمٰنِ الرَّحِیْمِ ؕ

دُرودِ پاک کی فضیلت

سرکارِ عالی وقار، مدینے کے تاجدار صَلَّی اللہ تعالٰی علیہ واٰلہٖ وسلَّم کا فرمانِ مُشکبار ہے: جس نے مجھ پر ایک بار دُرود پاک پڑھا اللہ عَزَّوَجَلَّ اس پر دس رَحمتیں نازِل فرماتا ہے، دس گناہ مٹاتا ہے، دس دَرَجات بُلند فرماتا ہے۔ (نسائی ج ۱ ص ۲۲۲ حدیث ۱۲۹۴)

تین فرامینِ مصطفٰے صَلَّی اللہ تعالٰی علیہ واٰلہٖ وسلَّم: ﴿۱﴾ رَمَضان میں عُمرہ میرے ساتھ حج کے برابر ہے۔ (بخاری ج ۱ ص ٦١٤ حدیث ١٨٦٣) ﴿۲﴾ جو عُمرے کے لئے نکلا اور مرگیا اُس کے لئے قِیامت تک عُمرہ کرنے والے کا ثواب لکھا جائے گا۔ (ابو یعلی ج ٥ ص ٤٤١ حدیث ٦٣٢٧) ﴿۳﴾ عُمرہ سے عُمرہ تک اُن گناہوں کا کفّارہ ہے جو درمیان میں ہوئے اور حجِّ مَبرُور کا ثواب جنّت ہی ہے۔ (بخاری ۱ ص ٥٨٦ حدیث ١٧٧٣)

عُمرہ کی تیّاری کیجئے

اِحرام باندھنے کا طریقہ حج ہو یا عُمرہ اِحرام باندھنے کا طریقہ دونوں کا ایک ہی ہے۔ ہاں نیّت اور اُس کے اَلفاظ میں

تھوڑا سا فرق ہے۔ نیّت کا بیان اِنْ شَآءَ اللہ عَزَّوَجَلَّ آگے آ رہا ہے۔ **پہلے اِحْرام باندھنے کا طریقہ** مُلاحظہ فرمائیے: ﴿۱﴾ ناخُن تَراشیے ﴿۲﴾ بغل اور ناف کے نیچے کے بال دُور کیجئے بلکہ پیچھے کے بال بھی صاف کر لیجئے ﴿۳﴾ مِسْواک کیجئے ﴿۴﴾ وُضو کیجئے ﴿۵﴾ خوب اچھی طرح مَل کے غُسل کیجئے ﴿۶﴾ جسم اور اِحْرام کی چادروں پر خوشبو لگائیے کہ یہ سُنَّت ہے، کپڑوں پر ایسی خوشبو (مَثَلاً خُشک عَنْبَر وغیرہ) نہ لگائیے جس کا جِرْم (یعنی تہ) جَم جائے ﴿۷﴾ اِسلامی بھائی سِلے ہوئے کپڑے اُتار کر ایک نئی یا دُھلی ہوئی سفید چادر اوڑھیں اور ایسی ہی چادر کا تہبند باندھیں۔ (تہبند کے لئے لٹّھا اور اَوڑھنے کے لئے تولیا ہو تو سُہولت رہتی ہے، تہبند کا کپڑا موٹا لیجئے تا کہ بدن کی رنگت نہ چمکے اور تولیا بھی قدرے بڑی سائز کا ہو تو اچھا) ﴿۸﴾ پاسپورٹ یا رقم وغیرہ رکھنے کے لئے جیب والا بیلٹ چاہیں تو باندھ سکتے ہیں۔ ریگزین کا بَیلٹ اکثر پھٹ جاتا ہے، آگے کی طرف زِپ (zip) والا بٹوا لگا ہوا نائیلون (nylon) یا چمڑے کا بیلٹ کافی مضبوط ہوتا اور برسوں کام دے سکتا ہے۔

اِسلامی بہنوں کا اِحْرام

اِسلامی بہنیں حسبِ معمول سِلے ہوئے کپڑے پہنیں، دستانے اور موزے بھی پہن سکتی ہیں، وہ سَر بھی ڈھانپیں مگر چِہرے پر چادر نہیں اَوڑھ سکتیں، غیر مَردوں سے چِہرہ

چُھپانے کے لئے ہاتھ کا پنکھا یا کوئی کتاب وغیرہ سے ضرورتاً آڑ کرلیں۔ اِحرام میں عورتوں کو کسی ایسی چیز سے مُنہ چُھپانا جو چِہرے سے چِپٹی ہو حرام ہے۔

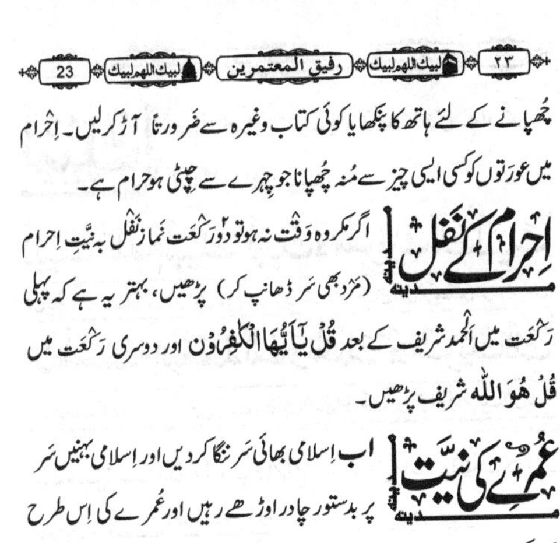

اِحرام کے نفل

اگر مکروہ وَقت نہ ہو تو ٢ دو رَکعت نمازِ نَفل بہ نیّتِ اِحرام (مَرد بھی سَر ڈھانپ کر) پڑھیں، بہتر یہ ہے کہ پہلی رَکعت میں اَلْحمد شریف کے بعد قُلْ یٰۤاَیُّھَا الْکٰفِرُوْنَ اور دوسری رَکعت میں قُلْ ھُوَ اللّٰہ شریف پڑھیں۔

عُمرے کی نیّت

اب اِسلامی بھائی سَر ننگا کردیں اور اِسلامی بہنیں سَر پر بدستور چادر اوڑھے رہیں اور عُمرے کی اِس طرح نیّت کریں:

اَللّٰھُمَّ اِنِّیْۤ اُرِیْدُ الْعُمْرَۃَ فَیَسِّرْھَا لِیْ وَتَقَبَّلْھَا

اے اللہ عَزَّوَجَلَّ! میں عُمرے کا اِرادہ کرتا ہوں میرے لئے اِسے آسان اور اِسے میری طرف

مِنِّیْ وَاَعِنِّیْ عَلَیْھَا وَبَارِکْ لِیْ فِیْھَا ؕ نَوَیْتُ

سے قبول فرما اور اِسے (ادا کرنے میں) میری مدد فرما اور اِسے میرے لئے بابَرَکت فرما۔ میں

الْعُمْرَۃَ وَاَحْرَمْتُ بِھَا لِلّٰہِ تَعَالٰی ؕ

نے عُمرے کی نیّت کی اور اللہ عَزَّوَجَلَّ کے لئے اِس کا اِحرام باندھا۔

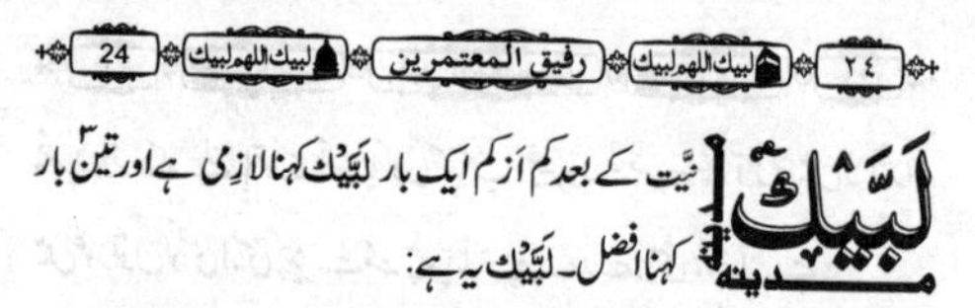

لَبَّیْک! مدینہ نیّت کے بعد کم اَز کم ایک بار لَبَّیْک کہنا لازِمی ہے اور تین[۳] بار کہنا افضل۔ لَبَّیْک یہ ہے:

لَبَّیْکَ ط اَللّٰھُمَّ لَبَّیْکَ ط لَبَّیْکَ لَا شَرِیْکَ لَکَ لَبَّیْکَ ط

میں حاضر ہوں، اے اللہ عَزَّوَجَلَّ! میں حاضر ہوں، (ہاں) میں حاضِر ہوں تیرا کوئی شریک نہیں میں حاضِر ہوں،

اِنَّ الْحَمْدَ وَالنِّعْمَةَ لَکَ وَالْمُلْکَ ط لَا شَرِیْکَ لَکَ ط

بے شک تمام خوبیاں اور نعمتیں تیرے لئے ہیں اور تیرا ہی مُلک بھی، تیرا کوئی شریک نہیں۔

اے مدینے کے مسافِرو! آپ کا اِحْرام شُروع ہوگیا، اب یہ لَبَّیْک ہی آپ کا وَظیفہ اور وِرْد ہے، اُٹھتے بیٹھتے، چلتے پھرتے اِس کا خوب وِرْد کیجئے۔

دو فرامینِ مصطفٰے صَلَّی اللہ تعالیٰ علیہ واٰلہٖ وسلَّم **(1)** جب لَبَّیْک کہنے والا لَبَّیْک کہتا ہے تو اسے خوشخبری دی جاتی ہے۔ عَرض کی گئی: یا رسولَ اللہ صَلَّی اللہ تعالیٰ علیہ واٰلہٖ وسلَّم کیا جنّت کی خوشخبری دی جاتی ہے؟ اِرشاد فرمایا: ''ہاں'' (مُعْجَم اَوْسَط ج ٥ ص ٤١٠ حدیث ٧٧٧٩) **(2)** جب مسلمان ''لَبَّیْک'' کہتا ہے تو اُس کے دائیں اور بائیں زمین کے آخری سِرے تک جو بھی پتّھر، دَرَخْت اور ڈھیلا ہے وہ سب لَبَّیْک کہتے ہیں۔ (تِرمِذی ج ٢ ص ٢٢٦ حدیث ٨٢٩)

معنیٰ پر نظر رکھتے ہوئے لَبَّیْک پڑھئے

اِدھر اُدھر دیکھتے ہوئے بے دلی سے پڑھنے کے بجائے نہایت خُشوع وخُضوع کے ساتھ معنیٰ پر نظر رکھتے ہوئے لَبَّیْک پڑھنا مناسِب ہے۔ اِحْرام باندھنے والا لَبَّیْک کہتے وَقْت اپنے پیارے پیارے **اللہ** عَزَّوَجَلَّ سے مُخاطِب ہوتا ہے اور عَرْض کرتا ہے: "لَبَّیْک" یعنی میں حاضِر ہوں، اپنے ماں باپ کو اگر کوئی یہی الفاظ کہے تو یقیناً توجُّہ سے کہے گا، پھر اپنے پَروَرْدگار عَزَّوَجَلَّ سے عَرْض ومَعروض میں کتنی توجُّہ ہونی چاہئے یہ ہر ذِی شُعُور سمجھ سکتا ہے۔ اسی بِنا پر حضرتِ سیِّدُنا علّامہ علی قاری عَلَیْہِ رَحْمَۃُ اللّٰہِ البَارِی فرماتے ہیں: ایک فَرْد لَبَّیْک کے الفاظ پڑھائے اور دوسرے اُس کے پیچھے پیچھے پڑھیں یہ مُسْتَحب نہیں بلکہ ہر فَرْد خود تَلْبِیہ پڑھے۔ **(اَلْمَسلَکُ الْمُتَقَسِّط لِلقاری ص ١٠٣)**

لَبَّیْک کہنے کے بعد کی ایک سُنَّت

لَبَّیک سے فارِغ ہونے کے بعد دُعا مانگنا سُنَّت ہے، جیسا کہ حدیثِ مُبارَک میں ہے کہ تاجدارِ مدینہ، راحتِ قلب وسینہ صَلَّی اللہ تعالیٰ علیہ والہٖ وسلَّم جب لَبَّیک سے فارِغ ہوتے تو **اللہ** عَزَّوَجَلَّ سے اُس کی خوشنودی اور جنَّت کا سُوال کرتے اور جہنَّم سے پناہ مانگتے۔ **(مُسنَد اِمام شافعی ص ١٢٣)** یقیناً ہمارے

پیارے آقا صَلَّی اللہ تعالیٰ علیہ واٰلہٖ وسلَّم سے **اللہ** عَزَّوَجَلَّ خوش ہے، بِلاشُبہ آپ صَلَّی اللہ تعالیٰ علیہ واٰلہٖ وسلَّم قَطْعی جنّتی بلکہ بِعَطائے الٰہی عَزَّوَجَلَّ مالِکِ جنّت ہیں مگر یہ سب دُعائیں دیگر بَہُت ساری حکمتوں کے ساتھ ساتھ اُمّت کی تعلیم کے لیے بھی ہیں کہ ہم بھی سنّت سمجھ کر دُعا مانگ لیا کریں۔

"اَللّٰھُمَّ لَبَّیْکَ" کے نو حُرُوف کی نسبت سے لَبَّیْک کے 9 مَدَنی پھول

﴿1﴾ اُٹھتے بیٹھتے، چلتے پھرتے، وُضو بے وُضو ہر حال میں لَبَّیْک کہیے ﴿2﴾ خُصوصاً چڑھائی پر چڑھتے، ڈھلوان اُترتے (سیڑھیوں پر چڑھتے اُترتے)، دو قافلوں کے ملتے، صُبح وشام، پچھلی رات، پانچوں وَقْت کی نمازوں کے بعد، غَرَض کہ ہر حالت کے بدلنے پر لَبَّیْک کہیے ﴿3﴾ جب بھی لَبَّیْک شُروع کریں کم از کم تین۳ بار کہیں ﴿4﴾ "مُعْتَمِر" یعنی عُمرہ کرنے والا اور "مُتَمَتِّع" بھی عُمرہ کرتے وَقْت جب کَعْبۂ مُشَرَّفہ کا طواف شُروع کرے اُس وَقْت حَجَرِ اَسْوَد کا پہلا اِسْتِلام کرتے ہی "لَبَّیْک" کہنا چھوڑ دے ﴿5﴾ "مُفْرِد" اور "قارِن" لَبَّیْک کہتے ہوئے **مَکَّۂ مُعَظَّمہ** زَادَھَا اللہُ شَرَفاً وَّ تَعْظِیْماً میں ٹھہریں کہ ان کی لَبَّیْک اور مُتَمَتِّع جب

حج کا اِحرام باندھے اُس کی لَبَّیْک 10 ذُوالْحِجَّۃِ الْحرام شریف کو جَمْرَۃُ الْعَقَبہ (یعنی بڑے شیطان) کو پہلی کنکری مارتے وَقت خَتْم ہو گی ﴿6﴾ اسلامی بھائی بہ آوازِ بُلند لَبَّیْک کہا کریں مگر آواز اِتنی بھی بُلند نہ کریں کہ اِس سے خود کو یا کسی دوسرے کو تکلیف ہو ﴿7﴾ اِسلامی بہنیں جب بھی لَبَّیْک کہیں دھیمی آواز سے کہیں اور یہ بھی یاد رکھیں کہ علاوہ حج وعُمرہ کے بھی جب کبھی جو کچھ پڑھیں تلفُّظ کی ادائیگی میں اِتنی آواز لازِمی ہے کہ اگر بَہرا پَن یا شور وغُل نہ ہو تو خود سُن سکیں ﴿8﴾ اِحرام کے لئے نیَّت شَرْط ہے اگر بغیر نیَّت لَبَّیْک کہا اِحرام نہ ہوا، اِسی طرح تنہا نیَّت بھی کافی نہیں جب تک لَبَّیْک یا اِس کے قائم مقام کوئی اور چیز نہ ہو (فتاوٰی عالمگیری ج ١ ص ٢٢٢)

﴿9﴾ اِحرام کے لئے ایک بار زَبان سے لَبَّیْک کہنا ضَروری ہے اور اگر اس کی جگہ سُبْحٰنَ اللّٰہ یا اَلْحَمْدُ لِلّٰہ یا لَآ اِلٰہَ اِلَّا اللّٰہ یا کوئی اور ذِکْرُ اللّٰہ کیا اور اِحرام کی نیَّت کی تو اِحرام ہو گیا مگر سنّت لَبَّیْک کہنا ہے۔ (ایضاً)

صَلُّوا عَلَی الْحَبِیب ! صَلَّی اللّٰہُ تَعَالٰی عَلٰی محمَّد

نیَّت کے مُتَعَلِّق ضَروری ہِدایت

مدینہ ۱: یاد رکھئے! نیَّت دِل کے اِرادہ کو کہتے ہیں۔ خواہ نَماز، روزہ، اِحرام کچھ بھی ہو، اگر دِل میں نیَّت موجود نہ ہو تو صِرْف زَبان سے نیَّت کے اَلفاظ ادا کرلینے سے نیَّت

نہیں ہوسکتی اور نیّت کے اَلفاظ عَرَبی زَبان میں کہنا ضَروری نہیں، اپنی مادَری زَبان میں بھی کہہ سکتے ہیں بلکہ زَبان سے کہنا لازِمی نہیں، صِرْف دِل میں اِرادہ بھی کافی ہے۔ ہاں زَبان سے کہہ لینا افضل ہے اور عَرَبی زَبان میں زِیادہ بہتر کیونکہ یہ ہمارے مَکّی مَدَنی سُلطان، رَحمتِ عالمیان صَلَّی اللہ تعالٰی علیہ والہٖ وسلَّم کی میٹھی میٹھی زَبان ہے۔ عَرَبی زَبان میں جب نیّت کے اَلفاظ کہیں تو اُس کے معنٰی بھی ضَرور ذِہن میں ہونے چاہئیں۔

اِحرام کے معنیٰ اِحْرام کے لفظی معنیٰ ہیں: حرام کرنا کیوں کہ اِحْرام باندھنے والے پر بعض حَلال باتیں بھی حرام ہوجاتی ہیں، اِحْرام والے اسلامی بھائی کو مُحرِم اور اِسلامی بہن کو مُحرِمَہ کہتے ہیں۔

اِحرام میں یہ باتیں حرام ہیں ﴿1﴾ اِسلامی بھائی کو سِلائی کیا ہوا کپڑا پہننا ﴿2﴾ سَر پر ٹوپی اوڑھنا، عمامہ یا رُومال وغیرہ باندھنا ﴿3﴾ مَرْد کا سر پر کپڑے کی گٹھڑی اُٹھانا (اِسلامی بہنیں سَر پر چادر اوڑھیں اور اِنھیں سَر پر کپڑے کی گٹھری اُٹھانا مَنْع نہیں) ﴿4﴾ مَرْد کا دَستانے پہننا۔ (اِسلامی بہنوں کو مَنْع نہیں) ﴿5﴾ اِسلامی بھائی ایسے موزے یا جوتے نہیں پہن سکتے جو وَسْطِ قدم (یعنی قدم کے بیچ کا اُبھار) چُھپائیں، (ہَوائی چپّل مناسِب ہیں) ﴿6﴾ جِسْم، لباس یا بالوں میں خوشبو لگانا ﴿7﴾ خالِص خوشبو مَثَلًا اِلایچی، لونگ، دار چینی، زَعْفران،

جاوِتری کھانا یا آنچل میں باندھنا، یہ چیزیں اگر کسی کھانے یا سالن وغیرہ میں ڈال کر پکائی گئی ہوں اب چاہے خوشبو بھی دے رہی ہوں تو بھی کھانے میں حَرَج نہیں ﴿8﴾ جماع کرنا یا بوسہ، مساس (یعنی چُھونا)، گلے لگانا، اَندامِ نِہانی (عورت کی شَرمگاہ) پر نگاہ ڈالنا جبکہ یہ آخری چاروں یعنی جماع کے علاوہ کام بشَہوت ہوں ﴿9﴾ فُحش اور ہرقسم کا گناہ ہمیشہ حرام تھا اب اور بھی سخت حرام ہوگیا ﴿10﴾ کسی سے دُنیوی لڑائی جھگڑا ﴿11﴾ جنگل کا شِکار کرنا یا کسی طرح بھی اِس پر مُعاوِن ہونا، اِس کا گوشت یا انڈا وغیرہ خریدنا، بیچنا یا کھانا ﴿12﴾ اپنا یا دوسرے کا ناخُن کترنا، یا دوسرے سے اپنے ناخُن کتروانا ﴿13﴾ سَر یا داڑھی کے بال کاٹنا، بغلیں بنانا، مُوئے زیرِ ناف لینا، بلکہ سَر سے پاؤں تک کہیں سے کوئی بال جُدا کرنا ﴿14﴾ وَسْمہ یا مہندی کا خِضاب لگانا ﴿15﴾ زَیتون کا یا تِل کا تیل چاہے بے خوشبو ہو، بالوں یا جسم پر لگانا ﴿16﴾ کسی کا سَر مُونڈنا خواہ وہ اِحْرام میں ہو یا نہ ہو۔ (ہاں اِحْرام سے باہَر ہونے کا وَقت آگیا تو اب اپنا یا دوسرے کا سر مُونڈ سکتا ہے) ﴿17﴾ جُوں مارنا، پھینکنا، کسی کو مارنے کے لئے اِشارہ کرنا، کپڑا اُس کے مارنے کے لئے دھونا یا دھوپ میں ڈالنا، بالوں میں جُوں مارنے کے لئے کسی قسم کی دوا وغیرہ ڈالنا، غرضیکہ کسی طرح اُس کے ہَلاک پر باعث ہونا۔ (بہارِ شریعت ج۱ ص۱۰۷۸، ۱۰۷۹)

اِحْرام میں یہ باتیں مکروہ ہیں

﴿1﴾ جِسم کا مَیل چُھڑانا ﴿2﴾ بال یا جِسم صابون وغیرہ سے دھونا ﴿3﴾ کنگھی کرنا ﴿4﴾ اِس طرح کُھجانا کہ بال ٹوٹنے یا جُوں گرنے کا اَندیشہ ہو ﴿5﴾ کُرتا یا شیروانی وغیرہ پہننے کی طرح کندھوں پر ڈالنا ﴿6﴾ جان بوجھ کر خوشبو سونگھنا ﴿7﴾ خوشبودار پھل یا پتّا مَثَلاً لیموں، پودینہ، نارنگی وغیرہ سونگھنا (کھانے میں مُضایقہ نہیں) ﴿8﴾ عِطر فَروش کی دُکان پر اِس نیّت سے بیٹھنا کہ خوشبو آئے ﴿9﴾ مہکتی خوشبو ہاتھ سے چُھونا جب کہ ہاتھ پر نہ لگ جائے ورنہ حرام ہے ﴿10﴾ کوئی ایسی چیز کھانا یا پینا جس میں خوشبو پڑی ہو اور نہ وہ پکائی گئی ہو نہ بُو زائل (یعنی خَتم) ہوگئی ہو ﴿11﴾ غلافِ کَعبہ کے اندر اِس طرح داخِل ہونا کہ غلاف شریف سَر یا منہ سے لگے ﴿12﴾ ناک وغیرہ مُنہ کا کوئی بھی حصّہ کپڑے سے چُھپانا ﴿13﴾ بے سِلا کپڑا رَفو کیا ہوا یا پَیوَند لگا ہوا پہننا ﴿14﴾ تکیہ پر مُنہ رکھ کر اَوندھا لیٹنا (اِحْرام کے علاوہ بھی اوندھا سونا منع ہے کہ حدیثِ پاک میں اس طرح سونے کو جہنّمیوں کا طریقہ کہا گیا ہے) ﴿15﴾ تعویذ اگرچہ بے سِلے کپڑے میں لپیٹا ہوا ہو، اُسے باندھنا مکروہ ہے۔ ہاں اگر بے سِلے کپڑے میں لپیٹا ہوا تعویذ بازو وغیرہ پر باندھا نہیں بلکہ گلے میں ڈال لیا تو حَرَج نہیں ﴿16﴾ سَر یا مُنہ پر پٹّی باندھنا ﴿17﴾ بلاعُذر بدن پر پٹّی باندھنا ﴿18﴾ بناؤ سِنگھار کرنا ﴿19﴾ چادر اوڑھ کر اِس کے سِروں میں گرہ دے لینا جب کہ سَر کُھلا ہو ورنہ حرام ہے ﴿20﴾ تہبند کے دونوں کناروں میں گرہ دینا

﴿21﴾ رقم وغیرہ رکھنے کی نیّت سے جیب والا بیلٹ باندھنے کی اِجازت ہے۔ البتّہ صِرف تہبند کو کَسنے کی نیّت سے بیلٹ یا رسّی وغیرہ باندھنا مکروہ ہے۔ (بہارِشریعت ج۱ص ۱۰۷۹، ۱۰۸۰)

یہ باتیں اِحرام میں جائز ہیں

﴿1﴾ مِسواک کرنا ﴿2﴾ انگوٹھی پہننا[1] ﴿3﴾ بے خوشبو سُرمہ لگانا۔ لیکن مُحرِم کے لئے بِلاضَرورت اِس کا استِعمال مکروہِ تنزیہی ہے۔ (خوشبودار سُرمہ ایک یا دو بار لگایا تو ''صَدَقہ'' ہے اور تین یا اس سے زائد میں ''دَم'') ﴿4﴾ بے مَیل چھڑائے غُسل کرنا ﴿5﴾ کپڑے دھونا۔ (مگر جُوں مارنے کی غَرَض سے حرام ہے) ﴿6﴾ سَر یا بدن

---

[1] انگوٹھی کے بارے میں عَرض ہے کہ تاجدارِ مدینہ، راحتِ قلب وسینہ صَلَّی اللہ تعالٰی علیہ واٰلہٖ وسلَّم کی خدمت باعظَمت میں ایک صَحابی رضی اللہ تعالٰی عنہ پیتل کی انگوٹھی پہنے ہوئے تھے۔ میٹھے مصطفٰے صَلَّی اللہ تعالٰی علیہ واٰلہٖ وسلَّم نے ارشاد فرمایا: کیا بات ہے کہ تم سے بُت کی بُو آتی ہے؟ انہوں نے وہ (پیتل کی) انگوٹھی اُتار کر پھینک دی پھر لوہے کی انگوٹھی پہن کر حاضِر ہوئے۔ فرمایا: کیا بات ہے کہ تم جہنّمیوں کا زیور پہنے ہوئے ہو؟ انہوں نے اسے بھی پھینک دیا پھر عَرض کی: یارسولَ اللہ صَلَّی اللہ تعالٰی علیہ واٰلہٖ وسلَّم! کیسی انگوٹھی بنواؤں؟ فرمایا: چاندی کی بناؤ اور ایک مِثقال پورا نہ کرو۔ (ابو داوٗد ج ٤ ص ١٢٢ حدیث ٤٢٢٣) یعنی ساڑھے چار ماشہ سے کم وَزن کی ہو۔ اسلامی بھائی جب کبھی انگوٹھی پہنیں تو صِرف چاندی کی ساڑھے چار ماشہ (یعنی 4 گرام 374 ملی گرام) سے کم وَزن چاندی کی ایک ہی انگوٹھی پہنیں ایک سے زیادہ نہ پہنیں اور اس ایک انگوٹھی میں نگینہ بھی ایک ہی ہو ایک سے زیادہ نگینے نہ ہوں اور بِغیر نگینے کے بھی نہ پہنیں۔ نگینے کے وزن کی کوئی قید نہیں۔ چاندی یا کسی اور دھات کا چھلّا (چاہے مدینۂ منورہ ہی کا کیوں نہ ہو) یا چاندی کے بیان کردہ وَزن وغیرہ کے علاوہ کسی بھی دھات (مَثَلاً سونا، تانبا، لوہا، پیتل، اسٹیل وغیرہ) کی انگوٹھی نہیں پہن سکتے۔ سونے چاندی یا کسی بھی دھات کی زنجیر گلے میں پہننا گناہ ہے۔ اسلامی بہنیں سونے چاندی کی انگوٹھیاں اور زنجیریں وغیرہ پہن سکتی ہیں، وَزن اور نگینوں کی کوئی قید نہیں۔ (انگوٹھی کے بارے میں تفصیلی معلومات کیلئے، فیضانِ سنّت جلد۲ کے باب ''نیکی کی دعوت'' (حصہ اوّل) صَفْحہ 408 تا 412 کا مُطالَعہ فرمائیے)

اِس طرح آہستہ سے کُھجانا کہ بال نہ ٹوٹیں ﴿7﴾ چَھتری لگانا یا کسی چیز کے سائے میں بیٹھنا ﴿8﴾ چادر کے آنچلوں کو تہبند میں گُھرسنا ﴿9﴾ داڑھ اُکھاڑنا ﴿10﴾ ٹوٹے ہوئے ناخُن جُدا کرنا ﴿11﴾ پُھنسی توڑ دینا ﴿12﴾ آنکھ میں جو بال نکلے، اُسے جُدا کرنا ﴿13﴾ ختنہ کرنا ﴿14﴾ فَصد (بغیر بال مُونڈے) پَچھنے (حِجامت) کروانا ﴿15﴾ چیل، کوّا، چوہا، چُھپکلی، گرگٹ، سانپ، بِچّھو، کھٹمل، مچّھر، پِسُّو، مکّھی وغیرہ خبیث اور موذی جانوروں کو مارنا۔ (حَرَم میں بھی ان کو مار سکتے ہیں) ﴿16﴾ سَر یا مُنہ کے علاوہ کسی اور جگہ زخم پر پٹّی باندھنا[1] ﴿17﴾ سَر یا گال کے نیچے تکیہ رکھنا ﴿18﴾ کان کپڑے سے چُھپانا ﴿19﴾ سَر یا ناک پر اپنا یا دوسرے کا ہاتھ رکھنا (کپڑا یا رُومال نہیں رکھ سکتے) ﴿20﴾ ٹھوڑی سے نیچے داڑھی پر کپڑا آنا ﴿21﴾ سَر پر سینی (یعنی دھات کا بنا ہوا خوان) یا غلّے کی بوری اُٹھانا جائز ہے مگر سَر پر کپڑے کی گٹھڑی اُٹھانا حرام ہے۔ ہاں "مُحْرِمَہ" دونوں اُٹھا سکتی ہے ﴿22﴾ جس کھانے میں اِلائچی، دار چینی، لونگ وغیرہ پکائی گئی ہوں اگرچہ اُن کی خوشبو بھی آ رہی ہو (مَثَلاً قورمہ، بریانی، زردہ وغیرہ) اُس کا کھانا یا بے پکائے جس کھانے پینے میں کوئی خوشبو ڈالی ہوئی ہو وہ بُو نہیں دیتی، اُس کا کھانا پینا ﴿23﴾ گھی یا چربی یا

[1] مجبوری کی صورت میں سَر یا مُنہ پر پٹّی باندھ سکتے ہیں مگر اس پر کفّارہ دینا ہوگا۔ (اس کا مسئلہ صَفْحَہ 172 پر مُلاحظہ فرمائیں)

کڑوا تیل یا بادام یا ناریل یا کدّو، کاہُو کا تیل جس میں خوشبو نہ ڈالی ہوئی ہو اُس کا بالوں یا جسم پر لگانا ﴿24﴾ ایسا جوتا پہننا جائز ہے جو قدم کے وَسْط کے جوڑ یعنی قدم کے بیچ کی اُبھری ہوئی ہڈّی کو نہ چُھپائے۔ (لِہٰذا مُحرِم کے لئے اِسی میں آسانی ہے کہ وہ ہَوائی چپّل پہنے) ﴿25﴾ بے سِلے ہوئے کپڑے میں لپیٹ کر تعویذ گلے میں ڈالنا ﴿26﴾ پالتو جانور مَثَلاً اُونٹ، بکری، مُرغی، گائے وغیرہ کو ذَبْح کرنا اُس کا گوشت پکانا، کھانا۔ اُس کے انڈے توڑنا، بھوننا، کھانا۔ (بہارِ شریعت ج ۱ ص ۱۰۸۱،۱۰۸۲)

مرد و عورت کے اِحرام میں فرق

اِحْرام کے مذکورۂ بالا مسائل میں مَرد و عورت دونوں برابر ہیں تاہَم چند باتیں اِسلامی بہنوں کے لئے جائز ہیں۔ آج کل اِحْرام کے نام پر سِلے سِلائے ''اسکارف'' بازار میں بِکتے ہیں، معلومات کی کمی کی بِنا پر اسلامی بہنیں اُسی کو اِحْرام سمجھتی ہیں، حالانکہ ایسا نہیں، حسبِ معمول سِلے ہوئے کپڑے پہنیں۔ ہاں اگر مذکورہ اسکارف کو شَرْعاً ضَروری نہ سمجھیں اور ویسے ہی پہننا چاہیں تو مَنْع نہیں۔

﴿۱﴾ سَر چُھپانا، بلکہ اِحْرام کے علاوہ بھی نَماز میں اور نامَحْرَم (جن میں خالو، پھوپھا، بہنوئی، ماموں زاد، چچازاد، پھوپھی زاد، خالہ زاد اور خُصوصیَّت کے ساتھ دیور و جیٹھ بھی شامل ہیں) کے سامنے فَرْض ہے۔ نامَحْرَموں کے سامنے عورت کا اِس طرح آجانا کہ سَر کھلا ہوا ہو یا اِتنا باریک دوپٹّا اوڑھا ہُوا ہو کہ بالوں کی سیاہی چمکتی ہو علاوہ اِحْرام

کے بھی حرام ہے اور اِحْرام میں سَخْت حرام ﴿۲﴾ مُحْرِمہ جب سَر چُھپا سکتی ہے تو کپڑے کی گٹھڑی سَر پر اُٹھانا بدَرَجۂ اَولیٰ جائز ہوا ﴿۳﴾ سِلا ہوا تعویذ گلے یا بازو میں باندھنا ﴿٤﴾ غلافِ کعبۂ مشرّفہ میں یوں داخِل ہونا کہ سَر پر رہے مُنہ پر نہ آئے کہ اِسے بھی مُنہ پر کپڑا اڈالنا حرام ہے۔ (آج کل غلافِ کعبہ پر لوگ خوب خوشبو چھڑکتے ہیں لہٰذا اِحْرام میں احتِیاط کریں) ﴿۵﴾ دَستانے، موزے اور سِلے کپڑے پہننا ﴿٦﴾ اِحْرام میں منہ چُھپانا عورت کو بھی حرام ہے، نامَحْرم کے آگے کوئی پنکھا (یا گتا) وغیرہ مُنہ سے بچا ہوا سامنے رکھے۔ (بہارِ شریعت ج ۱ ص ۱۰۸۳) ﴿۷﴾ اِسلامی بہن پی کیپ والا نِقاب بھی پہن سکتی ہے مگر یہ اِحتِیاط ضَروری ہے کہ چہرے سے مَس (TOUCH) نہ ہو۔ اِس میں یہ اندیشہ رہے گا کہ تیز ہوا چلے اور نِقاب چہرے سے چپک جائے یا بے توجُّہی میں پسینہ وغیرہ اُسی نِقاب سے پُونچھنے لگے، لہٰذا سخت اِحتیاط رکھنی ہوگی۔

"حج کا اِحرام" کے نو حُرُوف کی نسبت سے اِحرام کی 9 مُفید احتیاطیں

﴿۱﴾ اِحْرام خریدتے وَقْت کھول کر دیکھ لیجئے ورنہ روانگی کے موقع پر پہنتے وَقْت چھوٹا بڑا نکلا تو سَخْت آزمائش ہو سکتی ہے ﴿۲﴾ روانگی سے چند روز قَبل گھر ہی میں اِحْرام باندھنے کی مَشْق کر لیجئے ﴿۳﴾ اُوپر کی چادر تَولیے کی اور تہبند موٹے

لٹھے کا رکھئے، اِنْ شَآءَاللہ عَزَّوَجَلَّ نمازوں میں بھی سُہولت رہے گی ﴿٤﴾ اِحْرام اور بیلٹ وغیرہ باندھ کر گھر میں کچھ چل پھر لیجئے تا کہ مَشْق ہو جائے، ورنہ باندھ کر ایک دم سے چلنے پھرنے میں تہبند خوب ٹائٹ ہونے یا کھل جانے وغیرہ کی صورت میں پریشانی ہوسکتی ہے ﴿٥﴾ خُصُوصاً لٹھے کا اِحْرام عمدہ اور موٹے کپڑے کا لیجئے ورنہ پتلا کپڑا ہوا اور پسینہ آیا تو تہبند چپک جانے کی صورت میں رانوں وغیرہ کی رنگت ظاہر ہو سکتی ہے۔ بعض اوقات تہبند کا کپڑا اتنا باریک ہوتا ہے کہ پسینہ نہ ہو تب بھی رانوں وغیرہ کی رنگت چمکتی ہے۔ **دعوتِ اسلامی** کے اِشاعَتی اِدارے مکتبۃُ المدینہ کی مطبوعہ 496 صَفْحات پر مشتمل کتاب، ''نماز کے اَحکام'' صَفْحَہ 194 پر ہے: اگر ایسا باریک کپڑا پہنا جس سے بدن کا وہ حصّہ جس کا نماز میں چُھپانا فَرض ہے نظر آئے یا جِلد کا رنگ ظاہر ہو نَماز نہ ہوگی۔ (فتاوٰی عالمگیری ج ۱ ص ۵۸) آج کل باریک کپڑوں کا رَواج بڑھتا جا رہا ہے۔ ایسے باریک کپڑے کا پاجامہ پہننا جس سے ران یا سَتْر کا کوئی حصّہ چمکتا ہو عِلاوہ نَماز کے بھی پہننا **حرام** ہے۔ (بہارِ شریعت ج ۱ ص ۴۸۰)

﴿٦﴾ نیّت سے قَبْل اِحْرام پر خوشبو لگانا سنَّت ہے، بے شک لگائیے مگر لگانے کے بعد عِطْر کی شیشی بیلٹ کی جیب میں مت ڈالئے۔ ورنہ نیّت کے بعد جیب میں ہاتھ ڈالنے کی صورت میں خوشبو لگ سکتی ہے۔ اگر ہاتھ میں اتنا عِطْر لگ گیا کہ دیکھنے والے کہیں کہ ''زیادہ ہے'' تو دَم واجب ہوگا اور کم کہیں تو صَدَقہ۔ اگر عِطْر کی تری وغیرہ نہیں لگی

ہاتھ میں صِرف مَہک آگئی تو کوئی کفّارہ نہیں۔ بیگ میں بھی رکھنا ہو تو کسی شاپر وغیرہ میں لپیٹ کر خوب اِحتِیاط کی جگہ رکھئے ﴿۷﴾ اُوپر کی چادر دُرُست کرنے میں یہ اِحتِیاط رکھئے کہ اپنے یا کسی دوسرے مُحْرِم کے سَر یا چِہرے پر نہ پڑے۔ سگِ مدینہ عُفِیَ عَنْہُ نے بِھیڑ بھاڑ میں اِحْرام دُرُست کرنے والوں کی چادروں میں دیگر مُحْرِموں کے مُنڈے ہوئے سر پھنستے دیکھے ہیں ﴿۸﴾ کئی مُحْرِم حضرات کے **اِحْرام کا تہبند ناف کے نیچے** ہوتا ہے اور اُوپر کی چادر پیٹ پر سے اکثر سَرَکتی رہتی اور ناف کے نیچے کا کچھ حصّہ سب کے سامنے ظاہر ہوتا رہتا ہے اور وہ اِس کی پرواہ نہیں کرتے، اِسی طرح چلتے پھرتے اور اُٹھتے بیٹھتے وَقْت بے اِحتِیاطی کے باعِث بعض اِحْرام والوں کی ران وغیرہ بھی دوسروں پر ظاہر ہو جاتی ہے۔ برائے مہربانی! اِس مسئلے کو یاد رکھئے کہ ناف کے نیچے سے لے کر گُھٹنوں سَمیت جِسْم کا سارا حصّہ سَتْر ہے اور اِس میں سے تھوڑا سا حصّہ بھی بِلا اجازتِ شَرْعی دوسروں کے آگے کھولنا حرام ہے۔ سَتْر کے یہ مسائل صِرف اِحْرام کے ساتھ مَخْصُوص نہیں۔ اِحْرام کے علاوہ بھی **دوسروں کے آگے اپنا سَتْر کھولنا یا دوسروں کے کُھلے سَتْر کی طرف نَظَر کرنا حرام ہے** ﴿۹﴾ بعضوں کے اِحْرام کا تہبند ناف کے نیچے ہوتا ہے اور بے اِحتِیاطی کی وجہ سے مَعَاذَاللہ عَزَّوَجَلَّ دوسروں کی موجودگی میں پیڑُو[1] کا کچھ حصّہ کھلا رہتا ہے۔ **بہارِ شریعت** میں ہے: نَماز میں

[1] ناف کے نیچے سے لیکر عُضْوِ مخصوص کی جڑ تک بدن کی گولائی میں جتنا حصّہ آتا ہے اُسے ''پیڑُو'' کہتے ہیں۔

چوتھائی (1/4) کی مقدار (پیڑو) کُھلا رہا تو نَماز نہ ہوگی اور بعض بے باک ایسے ہیں کہ لوگوں کے سامنے گھٹنے بلکہ رانیں کھولے رہتے ہیں یہ (نَماز و اِحْرام کے علاوہ) بھی **حرام** ہے اور اِس کی عادت ہے **تو فاسِق** ہیں۔ (بہارِ شریعت ج ۱ ص ۴۸۱)

احرام کے بارے میں ضروری تنبیہ

جو باتیں اِحْرام میں ناجائز ہیں اگر وہ کسی مجبوری کے سبب یا بُھول کر ہوں تو گناہ نہیں مگر اُن پر جو جُرمانہ مقرَّر ہے وہ بَہر حال ادا کرنا ہوگا اب یہ باتیں چاہے بغیر ارادہ ہوں، بھول کر ہوں، سوتے میں ہوں یا جبراً کوئی کروائے۔ (ایضاً ص ۱۰۸۳)

میں اِحْرام باندھوں کروں حج و عُمرہ
ملے لُطفِ سَعیِ صَفا اور مَروَہ

صَلُّوا عَلَی الْحَبِیب! صَلَّی اللّٰہُ تعالٰی علٰی محمّد

حَرَم کی وَضاحت

عام بول چال میں لوگ ''مسجدِ حرام'' کو حَرَم شریف کہتے ہیں، اِس میں کوئی شک نہیں کہ مسجدِ حرام شریف حَرَمِ محترم ہی میں داخِل ہے مگر حَرَم شریف مَکَّۂ مکرَّمہ زادَھَا اللّٰہُ شَرَفًا وَّ تَعْظِیْمًا سَمیت[1] اُس کے اِردگرد میلوں تک پھیلا ہوا ہے اور ہر طرف اس کی حَدیں بنی ہوئی ہیں۔ مَثَلاً جَدَّہ

---

[1] مکۂ مکرمہ زادَھَا اللّٰہُ شَرَفًا وَّ تَعْظِیْمًا میں آبادی بڑھتی جا رہی ہے اور کہیں کہیں حَرَم کے باہَر تک پھیل چکی ہے مَثَلاً تَنْعِیم کہ یہ حَرَم سے باہَر ہے مگر شاید شہرِ مکہ میں داخِل۔ واللہ ورسولہٗ اعلم۔

شریف سے آتے ہوئے **مَکّہ مُعَظّمہ** زادھا اللہ شرفاً و تعظیماً سے قَبل 23 کلومیٹر پہلے پولیس چوکی آتی ہے، یہاں سڑک کے اُوپر بورڈ پر جلی حُروف میں **لِلْمُسْلِمِیْنَ فَقَط** (یعنی صِرف مسلمانوں کے لئے) لکھا ہوا ہے۔ اِسی سڑک پر جب مزید آگے بڑھتے ہیں تو **بِئْرِ شَمِیْس** یعنی حُدَیْبِیَہ کا مَقام ہے، اِس سَمت پر ''حَرَم شریف'' کی حَد یہاں سے شُروع ہوجاتی ہے۔ ''ایک مُؤَرِّخ کی جدید پیمائش کے حساب سے حَرَم کے رَقبے کا دائرہ 127 کلومیٹر ہے جبکہ کُل رقبہ 550 مُرَبَّع کلومیٹر ہے۔'' (تاریخ مکۃ المکرمہ ص ١٥)
(جنگلوں کی کانٹ چھانٹ، پہاڑوں کی تراش خراش اور سُرنگوں (TUNNELS) کی ترکیبوں وغیرہ کے ذَرِیعے بنائے جانے والے نئے راستوں اور سڑکوں کے سبب وہاں فاصلے میں کمی بیشی ہوتی رہتی ہے حَرَم کی اصل حُدود وُہی ہیں جن کا احادیثِ مبارَکہ میں بیان ہوا ہے)

ٹھنڈی ٹھنڈی ہوا حَرَم کی ہے
بارِش اللہ کے کرم کی ہے (وسائلِ بخشش ص ١٢٤)

صَلُّوا عَلَی الْحَبِیب! صلَّی اللہُ تعالٰی علٰی محمَّد

مکّۂ مکرّمہ زادھا اللہ شرفاً و تعظیماً کی حاضری

حَرَم جب قریب آئے تو سَر جھکائے، آنکھیں شرمِ گناہ سے نیچی کئے خُشوع وخُضوع کے ساتھ اِس کی حد میں داخل ہوں، ذِکر و دُرود اور لَبَّیْک

کی خُوب کثرت کیجئے اور جُوں ہی ربُّ الْعٰلَمِین جَلَّ جَلالُہٗ کے مقدّس شہر مَکَّۂ مکرَّمہ زادھا اللہ شرفاً وَّ تعظیماً پرنظر پڑے تو یہ دُعا پڑھئے:

اَللّٰھُمَّ اجْعَلْ لِّیْ قَرَارًا وَّارْزُقْنِیْ فِیْھَا رِزْقًا حَلَالًا ترجمہ: اے اللہ عَزَّوَجَلَّ! مجھے اس میں قرار اور رزقِ حلال عطا فرما۔

مَکَّۂ مُعَظَّمہ زادھا اللہ شرفاً وَّ تعظیماً پہنچ کر ضَرورتاً مکان اور حفاظتِ سامان وغیرہ کا انتِظام کر کے "لَبَّیک" کہتے ہوئے "بابُ السّلام" پر حاضِر ہوں اور اُس دروازۂ پاک کو چُوم کر پہلے سیدھا پاؤں مسجِدُ الْحرام میں رکھ کر ہمیشہ کی طرح مسجِد میں داخلے کی دعا پڑھئے:

بِسْمِ اللّٰہِ وَالسَّلَامُ عَلٰی رَسُوْلِ اللّٰہِ ط اَللّٰھُمَّ افْتَحْ لِیْ اَبْوَابَ رَحْمَتِکَ ط اللہ عَزَّوَجَلَّ کے نام سے اور اللہ عَزَّوَجَلَّ کے رسول صَلَّی اللہ تعالیٰ علیہ واٰلہٖ وسلَّم پر سلام ہو، اے اللہ عَزَّوَجَلَّ میرے لئے اپنی رَحمت کے دروازے کھول دے۔

اِعتِکاف کی نیّت کرلیجئے مدینہ

جب بھی کسی مسجِد میں داخِل ہوں اور اِعتِکاف کی نیّت کریں تو ثواب ملتا ہے، مسجِدُ الْحرام میں بھی نیّت کرلیجئے، اَلْحَمْدُ لِلّٰہ عَزَّوَجَلَّ یہاں ایک نیکی لاکھ نیکی کے برابر ہے، لہٰذا ایک لاکھ اِعتِکاف کا ثواب پائیں گے جب تک مسجِد کے اندر رہیں گے

اِعتِکاف کا ثواب ملے گا اور ضِمناً کھانا، زَم زَم شریف پینا اور سونا وغیرہ بھی جائز ہو جائے گا ورنہ مسجِد میں یہ چیزیں شرعاً ناجائز ہیں۔

نَوَیْتُ سُنَّتَ الْاِعْتِکَافِ ط ترجمہ: میں نے سُنَّتِ اِعتِکاف کی نیّت کی۔

کَعبۂ مشرّفہ پر پہلی نظر

جوں ہی کَعبۂ مُعظّمہ پر پہلی نظر پڑے تین بار لَآ اِلٰہَ اِلَّا اللّٰہُ وَاللّٰہُ اَکْبَرُ ط کہیے اور دُرُود شریف پڑھ کر دُعا مانگئے کہ کَعْبَۃُ اللّٰہ شریف پر پہلی نَظَر جب پڑتی ہے اُس وَقت مانگی ہوئی دُعا ضَرور قبول ہوتی ہے۔ آپ چاہیں تو یہ دُعا مانگ لیجئے کہ "یااللہ عَزَّوَجَلَّ! میں جب بھی کوئی جائز دُعا مانگا کروں اور اُس میں بہتری ہو تو وہ قَبول ہُوا کرے۔" حضرتِ علّامہ شامی قُدِّسَ سِرُّہُ السّامی نے فُقَہائے کرام رَحِمَہُمُ اللّٰہُ السّلام کے حوالے سے لکھا ہے: کعبۃُ اللّٰہ پر پہلی نَظَر پڑتے وَقت جنّت میں بے حِساب داخلے کی دُعا مانگی جائے اور دُرُود شریف پڑھا جائے۔ (رَدُّالمُحتار ج۳ص ۵۷۵)

نوری چادر تنی ہے کعبے پر

بارِش اللہ کے کرم کی ہے (وسائلِ بخشش ص ۱۲٤)

صَلُّوا عَلَی الْحَبِیب! صلَّی اللّٰہُ تعالٰی علٰی محمَّد

سب سے افضل دُعا

اللہ و رسول عَزَّوَجَلَّ وصَلَّی اللہ تعالیٰ علیہ والہٖ وسلَّم کی رضا کے طلبگار محترم عاشِقانِ رسول! اگر طَواف وسَعْی وغیرہ میں ہر جگہ کسی اور دُعا کے بجائے دُرُود شریف ہی پڑھتے رہیں تو یہ سب سے افضل ہے اور اِنْ شَآءَ اللہ عَزَّوَجَلَّ دُرُود وسلام کی بَرَکت سے بگڑے کام سَنور جائیں گے، وہ اختِیار کرو جو **مُحَمَّدٌ رَّسُولُ اللہ** صَلَّی اللہ تعالیٰ علیہ والہٖ وسلَّم کے سچّے وعدے سے تمام دعاؤں سے بہتر وافضل ہے یعنی یہاں اور تمام مواقع میں اپنے لیے دُعا کے بدلے اپنے حبیب صَلَّی اللہ تعالیٰ علیہ والہٖ وسلَّم پر دُرُود بھیجو، رسولُ اللہ صَلَّی اللہ تعالیٰ علیہ والہٖ وسلَّم فرماتے ہیں: ایسا کرے گا **اللہ** عَزَّوَجَلَّ تیرے سب کام بنا دے گا اور تیرے گناہ مُعاف فرمادے گا۔ (ترمذی ج ٤ ص ٢٠٧ حدیث ٢٤٦٥، فتاوٰی رضویہ مُخَرَّجہ ج١٠ص ٧٤٠)

طواف میں دُعا کے لئے رُکنا منع ہے

محترم زائرو! چاہیں تو صِرْف دُرُود وسلام پر ہی اکتِفا کیجئے کہ یہ آسان بھی ہے اور افضل بھی۔ تاہم شائقینِ دُعا کے لئے دُعائیں بھی داخِلِ ترکیب کردی ہیں لیکن یاد رہے کہ دُرُود وسلام پڑھیں یا دعائیں سب آہستہ آواز میں پڑھنا ہے، چلّا کر نہیں جیسا کہ بعض مُطَوِّف (یعنی طَواف کروانے والے) پڑھاتے ہیں نیز چلتے چلتے پڑھنا ہے، پڑھنے کیلئے دَورانِ طَواف کہیں بھی رُکنا نہیں ہے۔

طواف کا طریقہ

طواف شُروع کرنے سے قَبل مَرد اِضطِباع کرلیں یعنی چادر سیدھے ہاتھ کی بغل کے نیچے سے نکال کر اُس کے دونوں پلّے اُلٹے کندھے پر اِس طرح ڈال لیں کہ سیدھا کندھا کُھلا رہے۔اب پروانہ وارشمعِ کعبہ کے گِرد طواف کے لئے تیّار ہوجایئے۔

اِضطِباعی حالت میں کعبہ شریف کی طرف مُنہ کئے **حَجَرِ اَسْوَد** کی بائیں (left) طرف رُکنِ یمانی کی جانب **حَجَرِ اَسْوَد** کے قریب اِس طرح کھڑے ہوجایئے کہ پورا "**حَجَرِ اَسوَد**" آپ کے سیدھے ہاتھ کی طرف رہے۔اب بِغیر ہاتھ اُٹھائے اِس طرح **طَواف کی نِیَّت**[1] کیجئے:

اَللّٰھُمَّ اِنِّیۡۤ اُرِیۡدُ طَوَافَ بَیۡتِکَ الۡحَرَامِ

ترجمہ: اے **اللہ** عَزَّوَجَلَّ میں تیرے محترم گھر کا طواف کرنے کا اِرادہ کرتا ہوں،

[1] نماز، روزہ، اِعتِکاف، طَواف وغیرہ ہر جگہ یہ مسئلہ ذِہن میں رکھئے کہ عَرَبی زَبان میں نِیّت اُسی وَقت کار آمد ہوتی ہے جب کہ اس کے معنیٰ معلوم ہوں ورنہ نیّت اُردو میں بلکہ اپنی مادَری زَبان میں بھی ہوسکتی ہے اور ہر صورت میں دل میں نیّت ہونا شَرط ہے، زَبان سے نہ بھی کہیں تب بھی چل جائے گا کہ دِل ہی میں نیّت ہونا کافی ہے ہاں زَبان سے کہہ لینا افضل ہے۔

فَیَسِّرْہُ لِیْ وَتَقَبَّلْہُ مِنِّیْ ط

تُو اِسے میرے لئے آسان فرمادے اور میری جانب سے اِسے قبول فرما۔

نیّت کر لینے کے بعد کعبہ شریف ہی کی طرف مُنہ کئے سیدھے ہاتھ کی جانب اتنا چلئے کہ حَجَرِ اَسوَد آپ کے عَین سامنے ہوجائے۔ (اور یہ معمولی سا سرکنے سے ہوجائے گا، آپ حَجَرِ اَسوَد کی عین سیدھ میں آچکے اِس کی علامت یہ ہے کہ دُور ستون میں جو سبز لائٹ لگی ہے وہ آپ کی پیٹھ کے بالکل پیچھے ہوجائے گی)

سُبْحٰنَ اللہ عَزَّوَجَلَّ! یہ **جنّت** کا وہ **خوش نصیب پتھر** ہے جسے ہمارے پیارے آقا مکّی مَدَنی مصطفٰے صَلَّی اللہ تعالیٰ علیہ والہٖ وسلَّم نے یقیناً چوما ہے۔ اب دونوں ہاتھ کانوں تک اِس طرح اُٹھائیے کہ ہتھیلیاں حَجَرِ اَسوَد کی طرف رہیں اور پڑھئے:

بِسْمِ اللہِ وَالْحَمْدُ لِلّٰہِ وَاللہُ اَکْبَرُ وَالصَّلٰوۃُ

اللہ عَزَّوَجَلَّ کے نام سے اور تمام خُوبیاں **اللہ** عَزَّوَجَلَّ کیلئے ہیں اور **اللہ** عَزَّوَجَلَّ سب سے بڑا ہے

وَالسَّلَامُ عَلٰی رَسُوْلِ اللہِ ط

اور **اللہ** عَزَّوَجَلَّ کے رسول صَلَّی اللہ تعالیٰ علیہ والہٖ وسلَّم پر دُرُود و سلام ہوں۔

اب اگر ممکن ہوتو حَجَرِ اَسوَد شریف پر دونوں ہتھیلیاں اور اُن کے بیچ میں مُنہ رکھ کر یوں بوسہ دیجئے کہ آواز پیدا نہ ہو، تین ۳ بار ایسا ہی کیجئے۔ سُبْحٰنَ اللہ عَزَّوَجَلَّ! جھوم

جایئے کہ آپ کے لب اُس مُبارَک جگہ لگ رہے ہیں جہاں یقیناً مدینے والے آقا صَلَّی اللہ تعالیٰ علیہ واٰلہٖ وسلَّم کے لب ہائے مبارَکہ لگے ہیں۔ مچل جایئے .... تڑپ اُٹھئے .... اور ہو سکے تو آنسوؤں کو بہنے دیجئے۔ حضرتِ سیِّدُنا عبدُاللّٰہ بن عمر رضی اللہ تعالیٰ عنہما فرماتے ہیں کہ ہمارے میٹھے آقا صَلَّی اللہ تعالیٰ علیہ واٰلہٖ وسلَّم حَجَرِ اَسْوَد پر لب ہائے مبارَکہ رکھ کر روتے رہے پھر اِلتِفات فرمایا (یعنی توجُّہ فرمائی) تو کیا دیکھتے ہیں کہ حضرتِ عمر رضی اللہ تعالیٰ عنہ بھی رو رہے ہیں۔ ارشاد فرمایا: اے عمر (رضی اللہ تعالیٰ عنہ)! یہ رونے اور آنسو بہانے کا ہی مقام ہے۔ (ابن ماجہ ج ۳ ص ۴۳۴ حدیث ۲۹۴۵)

رونے والی آنکھیں مانگو رونا سب کا کام نہیں
ذِکرِ محبّت عام ہے لیکن سوزِ محبّت عام نہیں

اِس بات کا خیال رکھیے کہ لوگوں کو آپ کے دھکّے نہ لگیں کہ یہ قُوّت کے مُظاہَرہ کی نہیں، عاجزی اور مسکینی کے اِظہار کی جگہ ہے۔ ہُجُوم کے سبب اگر بوسہ مُیَسَّر نہ آسکے تو نہ اوروں کو ایذا دیں نہ خود دَبیں کُچلیں بلکہ ہاتھ یا لکڑی سے حَجَرِ اَسْوَد کو چُھو کر اُسے چُوم لیجئے، یہ بھی نہ بَن پڑے تو ہاتھوں کا اِشارہ کر کے اپنے ہاتھوں کو چُوم لیجئے، یہی کیا کم ہے کہ مَکّی مَدَنی سرکار صَلَّی اللہ تعالیٰ علیہ واٰلہٖ وسلَّم کے مُبارَک مُنہ رکھنے کی جگہ پر آپ کی نگاہیں پڑ رہی ہیں۔

حَجَرِ اَسْوَد کو بوسہ دینے یا لکڑی یا ہاتھ سے چُھو کر چُومنے یا ہاتھوں کا اِشارہ کر

کے اُنھیں چُوم لینے کو "اِسْتِلام" کہتے ہیں۔

فرمانِ مصطفٰے صَلَّی اللہ تعالیٰ علیہ واٰلہٖ وسلَّم ہے: روزِ قِیامت یہ پتّھر اُٹھایا جائے گا، اِس کی آنکھیں ہوں گی جن سے دیکھے گا، زَبان ہوگی جس سے کلام کرے گا، جس نے حق کے ساتھ اُس کا اِسْتِلام کیا اُس کے لیے گواہی دے گا۔ (ترمذی ج۲ ص۲۸٦ حدیث ۹٦۳)

اب **اَللّٰھُمَّ اِیْمَانًا بِکَ وَاتِّبَاعًا لِّسُنَّۃِ نَبِیِّکَ مُحَمَّدٍ صَلَّی اللہُ تَعَالٰی عَلَیْہِ وَسَلَّمَ** ط ترجمہ: الٰہی تجھ پر ایمان لاکر اور تیرے نبی محمد صلّی اللہ تعالیٰ علیہ وسلّم کی سنّت کی پیروی کرنے کو یہ طواف کرتا ہوں۔ کہتے ہوئے کَعْبہ شریف کی طرف ہی چہرہ کئے سیدھے ہاتھ کی طرف تھوڑا سا سَرَک کئے جب حَجَرِ اَسْوَد آپ کے چہرے کے سامنے نہ رہے (اور یہ اَدنیٰ سی حَرَکت میں ہوجائے گا) تو فوراً اِس طرح سیدھے ہوجایئے کہ خانۂ کَعْبہ آپ کے اُلٹے ہاتھ کی طرف رہے، اِس طرح چلئے کہ کسی کو آپ کا دَھکّا نہ لگے۔ مَرْد اِبتدائی تین پھیروں میں رَمَل کرتے چلیں یعنی جلد جلد چھوٹے قدم رکھتے، شانے (یعنی کندھے) ہلاتے چلیں جیسے قَوی و بَہادر لوگ چلتے ہیں۔ بعض لوگ کُودتے اور دوڑتے ہوئے جاتے ہیں، یہ سُنَّت نہیں ہے۔ جہاں جہاں بِھیڑ زِیادہ ہو اور رَمَل میں خود کو یا دوسروں کو تکلیف ہوتی ہو اُتنی دیر رَمَل ترک کردیجئے مگر رَمَل کی خاطر رُکئے نہیں، طَواف میں مَشْغُول رہئے۔

پھر جُوں ہی موقع ملے، اُتنی دیر تک کے لئے رَمَل کے ساتھ طواف کیجئے۔

طَواف میں جس قدر خانۂ کَعبہ سے قریب رہیں یہ بہتر ہے مگر اِتنے زِیادہ قریب بھی نہ ہوجائیں کہ کپڑا یا جسم پُشتۂ دیوار[1] سے لگے اور اگر نز دیکی میں ہُجُوم کے سبب رَمَل نہ ہوسکے تو اب دُوری بہتر ہے۔ اسلامی بہنوں کیلئے طَواف میں خانۂ کعبہ سے دُوری افضل ہے۔ پہلے چکّر میں چلتے چلتے دُرُود شریف پڑھ کر یہ دُعا پڑھیے:

پہلے چکّر کی دُعا

سُبۡحٰنَ اللهِ وَالۡحَمۡدُ لِلّٰهِ وَلَآ اِلٰهَ اِلَّا اللهُ وَاللهُ

اللہ تعالیٰ پاک ہے اور سب خوبیاں اللہ عَزَّوَجَلَّ ہی کیلئے ہیں اور اللہ عَزَّوَجَلَّ کے سوا کوئی عبادت کے لائق نہیں اور اللہ عَزَّوَجَلَّ

اَكۡبَرُ ؕ وَلَا حَوۡلَ وَلَا قُوَّةَ اِلَّا بِاللهِ الۡعَلِيِّ

سب سے بڑا ہے اور گناہوں سے بچنے کی طاقت اور نیکی کرنے کی توفیق اللہ عَزَّوَجَلَّ کی طرف سے ہے جو سب سے بُلند

الۡعَظِيۡمِ ؕ وَالصَّلٰوةُ وَالسَّلَامُ عَلٰى رَسُوۡلِ اللهِ

اور عظمت والا ہے اور رَحمت کاملہ اور سلام نازل ہو اللہ عَزَّوَجَلَّ کے رسول

مدینہ

[1] مٹی (یا سیمنٹ) کا ڈھیر جو مکان کی باہری دیوار کی مضبوطی کیلئے اُس کی جڑ میں لگاتے ہیں اُسے "پُشتۂ دیوار" کہتے ہیں۔

صَلَّى اللهُ تَعَالٰى عَلَيْهِ وَاٰلِهٖ وَسَلَّمَ ط اَللّٰهُمَّ

صلَّی اللّٰہ تعالٰی علیہ واٰلہٖ وسلَّم پر۔اے اللہ عَزَّوَجَلَّ!

اِيْمَانًا بِكَ وَتَصْدِيْقًا بِكِتَابِكَ وَوَفَآءً

تجھ پر ایمان لاتے ہوئے اور تیری کتاب کی تصدیق کرتے ہوئے اور تجھ سے کیے ہوئے عہد

بِعَهْدِكَ وَاتِّبَاعًا لِّسُنَّةِ نَبِيِّكَ وَحَبِيْبِكَ

کو پورا کرتے ہوئے اور تیرے نبی اور تیرے حبیب محمد صَلَّی اللّٰہ تعالٰی علیہ واٰلہٖ وسلَّم کی

مُحَمَّدٍ صَلَّى اللهُ تَعَالٰى عَلَيْهِ وَاٰلِهٖ وَسَلَّمَ ط اَللّٰهُمَّ

سنّت کی پیروی کرتے ہوئے (میں طواف شُروع کر چکا ہوں) اے اللہ عَزَّوَجَلَّ!

اِنِّیْۤ اَسْئَلُكَ الْعَفْوَ وَالْعَافِيَةَ وَالْمُعَافَاةَ الدَّآئِمَةَ

میں تجھ سے (گناہوں سے) مُعافی کا اور (بلاؤں سے) عافیت کا اوردائمی حفاظت کا،

فِی الدِّيْنِ وَالدُّنْيَا وَالْاٰخِرَةِ وَالْفَوْزَ

دِین و دنیا اور آخرت میں اور حُصولِ جنّت میں کامیابی

بِالْجَنَّةِ وَالنَّجَاةَ مِنَ النَّارِ ط (دُرُود شریف پڑھ لیجئے)

اور جہنّم سے نَجات پانے کا سُوال کرتا ہوں۔

رُکنِ یَمانی پہنچنے تک یہ دُعا پوری کر لیجئے، اب اگر بِھیڑ کی وجہ سے

اپنی یادوسروں کی اِیذا کا اندیشہ نہ ہوتو رُکنِ یَمانی کو دونوں ہاتھوں سے یا سیدھے ہاتھ سے تَبَرُّکاً چھوئیں، صِرْف بائیں (الٹے) ہاتھ سے نہ چُھوئیں۔ موقع ملے تو رُکنِ یَمانی کو بوسہ بھی دیجئے، اگر چُومنے یا چھونے کا موقع نہ ملے تو یہاں ہاتھوں سے اِشارہ کر کے چُومنا نہیں۔ (رُکنِ یَمانی پر آج کل لوگ کافی خوشبو لگا دیتے ہیں لہٰذا احْرام والے چُھونے اور چومنے میں احتِیاط فرمائیں)

اب آپ کعبۂ مُشَرَّفہ کے تین۳ کونوں کا طَواف پورا کر کے چوتھے کونے رُکنِ اَسْوَد کی طرف بڑھ رہے ہیں، رُکنِ یَمانی اور رُکنِ اَسْوَد کی دَرمیانی دیوار کو "مُسْتَجَاب" کہتے ہیں، یہاں دُعا پر اٰمین کہنے کے لئے ستّر ہزار فرشتے مقرَّر ہیں۔ آپ جو چاہیں اپنی زَبان میں اپنے لئے اور تمام مسلمانوں کے لئے دُعا مانگئے یا سب کی نیّت سے اور مجھ گنہگار سگِ مدینہ عُفِیَ عَنْہ کی بھی نیّت شامل کر کے ایک مرتبہ دُرُود شریف پڑھ لیجئے، نیز یہ قرانی دُعا بھی پڑھ لیجئے:

رَبَّنَآ اٰتِنَا فِی الدُّنْیَا حَسَنَةً وَّ فِی الْاٰخِرَةِ حَسَنَةً

ترجَمۂ کنز الایمان: اے رب ہمارے! ہمیں دنیا میں بھلائی دے اور ہمیں آخرت میں بھلائی دے

وَّ قِنَا عَذَابَ النَّارِ ﴿۲۰۱﴾

اور ہمیں عذابِ دوزخ سے بچا۔

اے لیجئے! آپ حَجَرِ اَسْوَد کے قریب آپہنچے، یہاں آپ کا ایک چکّر پورا ہوا۔ لوگ یہاں ایک دوسرے کی دیکھا دیکھی دُور ہی دُور سے ہاتھ لہراتے ہوئے گزر رہے ہوتے

ہیں ایسا کرنا ہرگز سُنَّت نہیں، آپ حسبِ سابِق یعنی پہلے کی طرح رُوبہ قِبلہ حَجَرِ اَسْوَد کی طرف مُنہ کر لیجئے۔ اب نیَّت کرنے کی ضَرورت نہیں کہ وہ تو اِبتِداءً ہوچکی، اب دُوسرا چکّر شُروع کرنے کے لئے پہلے ہی کی طرح دونوں ہاتھ کانوں تک اُٹھا کر یہ دُعا:

بِسْمِ اللّٰهِ وَالْحَمْدُ لِلّٰهِ وَاللّٰهُ اَكْبَرُ وَالصَّلٰوةُ وَالسَّلَامُ عَلٰى رَسُوْلِ اللّٰهِ ؕ پڑھ کر اِسْتِلام کیجئے۔ یعنی موقع ہو تو حَجَرِ اَسْوَد کو بوسہ دیجئے ورنہ اُسی طرح ہاتھ سے اِشارہ کر کے اُسے چُوم لیجئے پہلے ہی کی طرح کعبہ شریف کی طرف مُنہ کر کے تھوڑا سا سیدھے ہاتھ کی جانِب سَرَکئے۔ جب حَجَرِ اَسْوَد سامنے نہ رہے تو فوراً اُسی طرح کعبۂ مُشَرَّفہ کو بائیں (left) ہاتھ کی طرف لئے طَواف میں مَشغُول ہو جائیے اور دُرُود شریف پڑھ کر یہ دُعا پڑھئے:

دُوسرے چکّر کی دُعا

اَللّٰهُمَّ اِنَّ هٰذَا الْبَيْتَ بَيْتُكَ وَالْحَرَمَ حَرَمُكَ

اے **اللہ** عَزَّوَجَلَّ! بے شک یہ گھر تیرا گھر ہے اور یہ حَرَم تیرا حَرَم ہے

وَالْاَمْنَ اَمْنُكَ وَالْعَبْدَ عَبْدُكَ وَاَنَا عَبْدُكَ

اور (یہاں کا) اَمن و امان تیرا ہی دیا ہوا ہے اور ہر بندہ تیرا ہی بندہ ہے اور میں بھی تیرا ہی بندہ ہوں

وَابْنُ عَبْدِكَ وَهٰذَا مَقَامُ الْعَائِذِ بِكَ مِنَ

اور تیرے ہی بندے کا بیٹا ہوں اور یہ مقام جہنّم سے تیری پناہ مانگنے والے کا ہے،

النَّارِ ط فَحَرِّمْ لُحُوْمَنَا وَبَشَرَتَنَا عَلَى النَّارِ ط

تو ہمارے گوشت اور جسم کو دوزخ پر حرام فرما دے،

اَللّٰهُمَّ حَبِّبْ اِلَيْنَا الْاِيْمَانَ وَزَيِّنْهُ فِيْ

اے اللہ عَزَّوَجَلَّ ہمارے لئے ایمان کو محبوب بنادے

قُلُوْبِنَا وَكَرِّهْ اِلَيْنَا الْكُفْرَ وَالْفُسُوْقَ

اور ہمارے دلوں میں اس کی چاہ پیدا کردے اور ہمارے لئے کُفر اور بدکاری

وَالْعِصْيَانَ وَاجْعَلْنَا مِنَ الرَّاشِدِيْنَ ط اَللّٰهُمَّ

اور نافرمانی کو ناپسند بنادے اور ہمیں ہدایت پانے والوں میں شامل کرلے، اے اللہ عَزَّوَجَلَّ!

قِنِيْ عَذَابَكَ يَوْمَ تَبْعَثُ عِبَادَكَ ط اَللّٰهُمَّ

جس دن تو اپنے بندوں کو دوبارہ زندہ کرکے اٹھائے مجھے اپنے عذاب سے بچا، اے اللہ عَزَّوَجَلَّ!

ارْزُقْنِى الْجَنَّةَ بِغَيْرِ حِسَابٍ ط (دُرُود شریف پڑھ لیجئے)

مجھے بے حساب جنّت عطا فرما۔

رُکنِ یَمانی پر پہنچنے سے پہلے پہلے یہ دُعا خَتْم کر دیجئے۔اب موقع ملے تو پہلے کی طرح بوسہ لے کر یا پھر اُسی طرح چھُو کر "حَجَرِ اَسْوَد" کی طرف بڑھئے، دُرُود شریف پڑھ کر یہ دعائے قرانی پڑھئے:

رَبَّنَآ اٰتِنَا فِی الدُّنْیَا حَسَنَةً وَّفِی الْاٰخِرَةِ حَسَنَةً

ترجَمۂ کنزالایمان: اے رب ہمارے! ہمیں دنیا میں بھلائی دے اور ہمیں آخرت میں بھلائی دے

وَّقِنَا عَذَابَ النَّارِ ﴿٢٠١﴾

اور ہمیں عذابِ دوزخ سے بچا۔

اے لیجئے! آپ پھر حَجَرِ اَسْوَد کے قریب آ پہنچے۔اب آپ کا "دوسرا چکّر" بھی پورا ہو گیا، پھر حسبِ سابق دونوں ہاتھ کانوں تک اُٹھا کر یہ دُعا:

بِسْمِ اللّٰهِ وَالْحَمْدُ لِلّٰهِ وَاللّٰهُ اَكْبَرُ وَالصَّلٰوةُ وَالسَّلَامُ عَلٰی رَسُوْلِ اللّٰهِ ط پڑھ کر حَجَرِ اَسْوَد کا اِسْتِلام کیجئے اور پہلے ہی کی طرح تیسرا چکّر شُروع کیجئے اور دُرُود شریف پڑھ کر یہ دُعا پڑھئے:

تیسرے چکّر کی دُعا

اَللّٰهُمَّ اِنِّیْٓ اَعُوْذُ بِكَ مِنَ الشَّكِّ وَالشِّرْكِ

اے اللہ عَزَّوَجَلَّ! میں شک اور شرک

وَالنِّفَاقِ وَالشِّقَاقِ وَسُوْٓءِ الْاَخْلَاقِ وَسُوْٓءِ

اور نفاق اور حق کی مُخالَفت سے اور بُرے اَخلاق اور بُرے

الْمُنْظَرِ وَالْمُنْقَلَبِ فِی الْمَالِ وَالْاَھْلِ وَالْوَلَدِ ط

حال سے اور اَہل وعِیال اور مال میں بُرے انجام سے تیری پناہ چاہتا ہوں۔

اَللّٰھُمَّ اِنِّیْٓ اَسْئَلُكَ رِضَاكَ وَالْجَنَّةَ وَ

اے اللہ عَزَّوَجَلَّ! میں تجھ سے تیری رِضا اور جنّت مانگتا ہوں اور

اَعُوْذُبِكَ مِنْ سَخَطِكَ وَالنَّارِ ط اَللّٰھُمَّ اِنِّیْٓ

تیرے غَضَب اور جہنّم سے پناہ چاہتا ہوں، اے اللہ عَزَّوَجَلَّ!

اَعُوْذُبِكَ مِنْ فِتْنَةِ الْقَبْرِ وَاَعُوْذُبِكَ مِنْ

میں قبْر کی آزمائش اور زندگی اور

فِتْنَةِ الْمَحْيَا وَالْمَمَاتِ ط (دُرُود شریف پڑھ لیجئے)

موت کے فِتنے سے تیری پناہ مانگتا ہوں۔

رُکنِ یمانی پر پہنچنے سے پہلے یہ دُعا خَتْم کردیجئے اور پہلے کی طرح عمل کرتے ہوئے حَجَرِ اَسْوَد کی طرف بڑھتے ہوئے دُرُود شریف پڑھ کر یہ دُعائے قرانی پڑھئے:

رَبَّنَآ اٰتِنَا فِی الدُّنْيَا حَسَنَةً وَّفِی الْاٰخِرَةِ حَسَنَةً

ترجمۂ کنز الایمان: اے رب ہمارے! ہمیں دنیا میں بھلائی دے اور ہمیں آخرت میں بھلائی دے

وَّقِنَا عَذَابَ النَّارِ ﴿۲۰۱﴾

اور ہمیں عذابِ دوزخ سے بچا۔

اے لیجئے! آپ پھر حَجَرِ اَسْوَد کے قریب آپہنچے، آپ کا ’’تیسرا چکّر‘‘ بھی مکمَّل ہوگیا، پھر پہلے کی طرح دونوں ہاتھ کانوں تک اُٹھا کر یہ دُعا:

بِسْمِ اللهِ وَالْحَمْدُ لِلّٰهِ وَاللهُ اَكْبَرُ وَالصَّلٰوةُ وَالسَّلَامُ عَلٰى رَسُوْلِ اللهِ ط پڑھ کر حَجَرِ اَسْوَد کا اِسْتِلام کیجئے اور پہلے ہی کی طرح چوتھا چکّر شُروع کیجئے، اب رَمَل نہ کیجئے کہ رَمَل صِرف تین ابتدائی پھیروں میں کرنا تھا۔ اب آپ کو حسبِ معمول درمیانہ چال کے ساتھ بَقِیَّہ پھیرے مکمَّل کرنے ہیں۔ دُرُود شریف پڑھ کر یہ دُعا پڑھئے:

چوتھے چکّر کی دُعا

اَللّٰهُمَّ اجْعَلْهَا عُمْرَةً مَّبْرُوْرَةً وَّسَعْيًا مَّشْكُوْرًا

اے اللہ عَزَّوَجَلَّ! میرے عُمرے کو مَبرور اور میری کوشش کو کامیاب

وَّذَنْبًا مَّغْفُوْرًا وَّعَمَلًا صَالِحًا مَّقْبُوْلًا وَّ

اور گناہوں کی مغفِرت کا ذَرِیعہ اور مقبول نیک عمل اور

تِجَارَۃً لَّنْ تَبُوْرَ ط یَا عَالِمَ مَا فِی الصُّدُوْرِ

بے نقصان تجارت بنادے۔ اے سینوں کے حال جاننے والے !

اَخْرِجْنِیْ یَا اَللّٰہُ مِنَ الظُّلُمَاتِ اِلَی النُّوْرِ ط

اے اللہ عَزَّوَجَلَّ ! مجھے (گناہ کی) تاریکیوں سے (عمل صالح کی) روشنی کی طرف نکال دے۔

اَللّٰھُمَّ اِنِّیْۤ اَسْئَلُكَ مُوْجِبَاتِ رَحْمَتِكَ

اے اللہ عَزَّوَجَلَّ ! میں تجھ سے تیری رَحمت (کے حاصل ہونے) کے ذریعوں

وَعَزَآئِمَ مَغْفِرَتِكَ وَالسَّلَامَۃَ مِنْ كُلِّ

اور تیری مغفرت کے اسباب کا اور تمام

اِثْمٍ وَّالْغَنِیْمَۃَ مِنْ كُلِّ بِرٍّ وَّالْفَوْزَ

گناہوں سے بچتے رہنے اور ہرنیکی کی توفیق کا اور

بِالْجَنَّۃِ وَالنَّجَاۃَ مِنَ النَّارِ ط اَللّٰھُمَّ قَنِّعْنِیْ

جنّت میں جانے اور جہنّم سے نَجات پانے کا سُوال کرتا ہوں۔ اوراے اللہ عَزَّوَجَلَّ ! مجھے اپنے دیے

بِمَا رَزَقْتَنِیْ وَبَارِكْ لِیْ فِیْهِ وَاخْلُفْ عَلٰی

ہوئے رِزْق میں قناعت عطا فرمااور اس میں میرے لیے بَرَکت بھی دے اور

كُلِّ غَائِبَةٍ لِّي بِخَيْرٍ ؕ (دُرُود شریف پڑھ لیجئے)

ہر نقصان کا اپنے کرم سے مجھے نِعْمَ الْبَدَل عطا فرما۔

رُکنِ یَمانی تک یہ دُعا خَتْم کر کے پھر پہلے کی طرح عمل کرتے ہوئے حَجَرِ اَسْوَد کی طرف بڑھئے اور دُرُود شریف پڑھ کر یہ قرانی دُعا پڑھئے:

رَبَّنَآ اٰتِنَا فِي الدُّنْيَا حَسَنَةً وَّفِي الْاٰخِرَةِ حَسَنَةً

ترجَمۂ کنزالایمان: اے رب ہمارے! ہمیں دنیا میں بھلائی دے اور ہمیں آخرت میں بھلائی دے

وَّقِنَا عَذَابَ النَّارِ ﴿۲۰۱﴾

اور ہمیں عذابِ دوزخ سے بچا۔

اے لیجئے! آپ پھر حَجَرِ اَسْوَد پر آ پہنچے۔ حسبِ سابِق دونوں ہاتھ کانوں تک اُٹھا کر یہ دُعا:

بِسْمِ اللهِ وَالْحَمْدُ لِلّٰهِ وَاللهُ اَكْبَرُ وَالصَّلٰوةُ وَالسَّلَامُ عَلٰى رَسُوْلِ اللهِ ؕ پڑھ کر اِسْتِلام کیجئے اور پانچواں چکّر شُروع کیجئے اور دُرُود شریف پڑھ کر یہ دُعا پڑھئے:

پانچویں چکّر کی دُعا

اَللّٰهُمَّ اَظِلَّنِيْ تَحْتَ ظِلِّ عَرْشِكَ يَوْمَ لَا

اے اللہ عَزَّوَجَلَّ! مجھے اس دن اپنے عرش کے سائے میں جگہ دے جس دن

ظِلَّ اِلَّا ظِلُّ عَرْشِكَ وَلَا بَاقِيَ اِلَّا وَجْهُكَ

تیرے عرش کے سائے کے سوا کوئی سایہ نہ ہوگا اور تیری ذاتِ پاک کے سوا کوئی باقی نہ رہے گا

وَاسْقِنِيْ مِنْ حَوْضِ نَبِيِّكَ سَيِّدِنَا مُحَمَّدٍ

اور مجھے اپنے نبی محمد مصطفٰے

صَلَّى اللهُ تَعَالٰى عَلَيْهِ وَاٰلِهٖ وَسَلَّمَ شَرْبَةً

صلّی اللہ تعالٰی علیہ واٰلہٖ وسلّم کے حوض (کوثر) سے

هَنِيْئَةً مَّرِيْئَةً لَّا نَظْمَأُ بَعْدَهَا اَبَدًا اَللّٰهُمَّ

ایسا خوشگوار اور خوش ذائقہ گھونٹ پلا کہ اس کے بعد کبھی مجھے پیاس نہ لگے، اے اللہ عَزَّوَجَلَّ!

اِنِّيْ اَسْئَلُكَ مِنْ خَيْرِ مَا سَئَلَكَ مِنْهُ نَبِيُّكَ

میں تجھ سے ان چیزوں کی بھلائی مانگتا ہوں جنہیں تیرے نبی

سَيِّدُنَا مُحَمَّدٌ صَلَّى اللهُ تَعَالٰى عَلَيْهِ وَاٰلِهٖ

سیِّدُنا محمد صلَّی اللہ تعالٰی علیہ واٰلہٖ وسلَّم نے تجھ سے طلب کیا

وَسَلَّمَ وَاَعُوْذُبِكَ مِنْ شَرِّ مَا اسْتَعَاذَكَ

اور ان چیزوں کی برائی سے تیری پناہ چاہتا ہوں جن سے

مِنْهُ نَبِيُّكَ سَيِّدُنَا مُحَمَّدٌ صَلَّى اللهُ تَعَالٰى عَلَيْهِ وَاٰلِهٖ

تیرے نبی سَیِّدُنا محمد صَلَّی اللہ تعالٰی علیہ والہٖ وسلَّم نے پناہ مانگی۔

وَسَلَّمَ ط اَللّٰهُمَّ اِنِّيْٓ اَسْئَلُكَ الْجَنَّةَ وَنَعِيْمَهَا

اے اللہ عَزَّوَجَلَّ! میں تجھ سے جنّت اور اس کی نعمتوں کا

وَمَا يُقَرِّبُنِيْٓ اِلَيْهَا مِنْ قَوْلٍ اَوْ فِعْلٍ اَوْ عَمَلٍ ط

اور ہر اُس قول یا فعل یا عمل (کی توفیق) کا سُوال کرتا ہوں جو مجھے جنّت سے قریب کردے

وَاَعُوْذُبِكَ مِنَ النَّارِ وَمَا يُقَرِّبُنِيْٓ اِلَيْهَا مِنْ

اور میں دوزخ اور ہر اُس قول یا فعل یا عمل سے تیری پناہ چاہتا ہوں جو مجھے جہنَّم سے قریب

قَوْلٍ اَوْ فِعْلٍ اَوْ عَمَلٍ ط (دُرُود شریف پڑھ لیجئے)

کردے۔

رُکنِ یَمانی تک یہ دُعا ختم کر کے پہلے کی طرح حَجَرِ اَسْوَد کی طرف بڑھئے اور دُرُود شریف پڑھ کر یہ قرآنی دُعا پڑھئے:

رَبَّنَآ اٰتِنَا فِي الدُّنْيَا حَسَنَةً وَّفِي الْاٰخِرَةِ حَسَنَةً

ترجَمۂ کنز الایمان: اے رب ہمارے! ہمیں دنیا میں بھلائی دے اور ہمیں آخرت میں بھلائی دے

وَّقِنَا عَذَابَ النَّارِ ﴿۲۰۱﴾

اور ہمیں عذابِ دوزخ سے بچا۔

پھر حَجَرِ اَسْوَد پر آکر دونوں ہاتھ کانوں تک اُٹھا کر یہ دُعا:

بِسْمِ اللّٰہِ وَالْحَمْدُ لِلّٰہِ وَاللّٰہُ اَکْبَرُ وَالصَّلٰوۃُ وَالسَّلَامُ عَلٰی رَسُوْلِ اللّٰہِ ط پڑھ کر اِسْتِلام کیجئے اور اب چھٹا چکّر شُروع کیجئے اور دُرُود شریف پڑھ کر یہ دُعا پڑھئے:

چھٹے چکّر کی دُعا

اَللّٰھُمَّ اِنَّ لَکَ عَلَیَّ حُقُوْقًا کَثِیْرَۃً فِیْمَا

اے اللہ عَزَّوَجَلَّ! بے شک مجھ پر تیرے بَہُت سے حُقُوق ہیں اُن مُعامَلات میں

بَیْنِیْ وَبَیْنَکَ وَحُقُوْقًا کَثِیْرَۃً فِیْمَا بَیْنِیْ

جو میرے اور تیرے درمیان ہیں اور بَہُت سے حُقُوق ہیں ان مُعامَلات میں جو میرے اور تیری

وَبَیْنَ خَلْقِکَ اَللّٰھُمَّ مَا کَانَ لَکَ مِنْھَا

مخلوق کے درمیان ہیں۔ اے اللہ عَزَّوَجَلَّ! ان میں سے جن کا تعلُّق تجھ سے ہو ان کی (کوتاہی کی)

فَاغْفِرْہُ لِیْ وَمَا کَانَ لِخَلْقِکَ فَتَحَمَّلْہُ عَنِّیْ

مجھے مُعافی دے اور جن کا تعلُّق تیری مخلوق سے (بھی) ہو ان کی مُعافی اپنے ذِمّۂ کرم پر لے لے۔

وَاَغْنِنِیْ بِحَلَالِکَ عَنْ حَرَامِکَ وَبِطَاعَتِکَ

اے اللہ عَزَّوَجَلَّ! مجھے (رِزْقِ) حلال عطا فرما کر حرام سے بے پرواہ کردے اور اپنی اطاعت کی توفیق عطا فرما کر

عَنْ مَّعْصِيَتِكَ وَبِفَضْلِكَ عَمَّنْ سِوَاكَ يَا

نافرمانی سے اور اپنے فضل سے نواز کر اپنے علاوہ دوسروں سے مُستغنی (یعنی بے پروا) کردے،

وَاسِعَ الْمَغْفِرَةِ ط اَللّٰهُمَّ اِنَّ بَيْتَكَ عَظِيْمٌ وَّ وَجْهَكَ

اے وسیع مغفرت والے! اے اللہ عَزَّوَجَلَّ! بیشک تیرا گھر بڑی عَظمت والا ہے اور تیری ذات

كَرِيْمٌ وَّاَنْتَ يَا اَللّٰهُ حَلِيْمٌ كَرِيْمٌ عَظِيْمٌ

کریم ہے اور اے اللہ عَزَّوَجَلَّ! تو حِلم والا، کرم والا، عَظمت والا ہے

تُحِبُّ الْعَفْوَ فَاعْفُ عَنِّیْ ط (دُرُود شریف پڑھ لیجئے)

اور تو مُعافی کو پسند کرتا ہے سو میری خطاؤں کو بخش دے۔

رُکنِ یَمانی تک یہ دُعا خَتْم کر کے پھر پہلے کی طرح عمل کرتے ہوئے حَجَرِ اَسْوَد

کی طرف بڑھئے اور دُرُود شریف پڑھ کر یہ قرانی دُعا پڑھئے:

رَبَّنَاۤ اٰتِنَا فِی الدُّنْيَا حَسَنَةً وَّ فِی الْاٰخِرَةِ حَسَنَةً

ترجَمۂ کنزالایمان: اے رب ہمارے! ہمیں دنیا میں بھلائی دے اور ہمیں آخرت میں بھلائی دے

وَّ قِنَا عَذَابَ النَّارِ ﴿۲۰۱﴾

اور ہمیں عذابِ دوزخ سے بچا۔

پھر پہلے کی طرح دونوں ہاتھ کانوں تک اُٹھا کر یہ دُعا:

بِسْمِ اللّٰهِ وَالْحَمْدُ لِلّٰهِ وَاللّٰهُ اَكْبَرُ وَالصَّلٰوةُ وَالسَّلَامُ عَلٰى رَسُوْلِ اللّٰهِ ﷺ پڑھ کر حَجَرِ اَسْوَد کا اِسْتِلام کیجئے اور ساتواں اور آخری چکّر شُروع کیجئے اور دُرُود شریف پڑھ کر یہ دُعا پڑھئے:

ساتویں چکّر کی دُعا

اَللّٰهُمَّ اِنِّيْٓ اَسْئَلُكَ اِيْمَانًا كَامِلًا وَّيَقِيْنًا

اے اللہ عَزَّوَجَلَّ! میں تجھ سے تیری رَحمت کے وسیلے سے کامل ایمان اور سچا یقین

صَادِقًا وَّ رِزْقًا وَّاسِعًا وَّ قَلْبًا خَاشِعًا وَّ

اور کُشادہ رِزْق اور عاجزی کرنے والا دل اور

لِسَانًا ذَاكِرًا وَّ رِزْقًا حَلَالًا طَيِّبًا وَّتَوْبَةً

ذِکر کرنے والی زَبان اور حلال اور پاک روزی اور سچی توبہ

نَّصُوْحًا وَّتَوْبَةً قَبْلَ الْمَوْتِ وَرَاحَةً عِنْدَ الْمَوْتِ

اور موت سے پہلے کی توبہ اور موت کے وَقْت راحت

وَمَغْفِرَةً وَّ رَحْمَةً بَعْدَ الْمَوْتِ وَالْعَفْوَ عِنْدَ

اور مرنے کے بعد مغفِرت اور رَحْمت اور حساب کے وَقْت مُعافی

الْحِسَابِ وَالْفَوْزَ بِالْجَنَّةِ وَالنَّجَاةَ مِنَ النَّارِ

اور جنّت کاحُصُول اور جہنّم سے نَجات مانگتا ہوں،

بِرَحْمَتِكَ يَا عَزِيْزُ يَا غَفَّارُ ؕ رَبِّ زِدْنِيْ عِلْمًا

اے عزّت والے! اے بہت بخشنے والے! اے میرے رب عَزَّوَجَلَّ! میرے علم میں اِضافہ فرما

وَّاَلْحِقْنِيْ بِالصّٰلِحِيْنَ ؕ (دُرُود شریف پڑھ لیجئے)

اور مجھے نیکوں میں شامل فرما۔

رُکنِ یَمانی پر آ کر یہ دُعا خَتْم کر کے پہلے کی طرح عمل کرتے ہوئے دُرُود شریف پڑھ کر پڑھئے:

رَبَّنَاۤ اٰتِنَا فِی الدُّنْیَا حَسَنَةً وَّ فِی الْاٰخِرَةِ حَسَنَةً

ترجَمۂ کنزالایمان: اے رب ہمارے! ہمیں دنیا میں بھلائی دے اور ہمیں آخرت میں بھلائی دے

وَّ قِنَا عَذَابَ النَّارِ (۲۰۱)

اور ہمیں عذابِ دوزخ سے بچا۔

حَجَرِ اَسْوَد پر پہنچ کر آپ کے سات پھیرے مکمَّل ہوگئے مگر پھر آٹھویں بار پہلے کی طرح دونوں ہاتھ کانوں تک اُٹھا کر یہ دُعا:

بِسْمِ اللّٰهِ وَالْحَمْدُ لِلّٰهِ وَاللّٰهُ اَكْبَرُ وَالصَّلٰوةُ

وَالسَّلَامُ عَلٰی رَسُوْلِ اللّٰہ ؕ پڑھ کر اِسْتِلام کیجئے اور یہ ہمیشہ یاد رکھئے کہ جب بھی طَواف کریں اُس میں پھیرے سات ہوتے ہیں اور اِسْتِلام آٹھ۔

مقامِ ابراہیم

اب سیدھا کندھا ڈھانپ لیجئے اور "مَقامِ اِبراہیم" پر آ کر پارہ 1 سُوْرَۃُ الْبَقَرَۃ کی یہ آیتِ مقدّسہ پڑھئے:

وَاتَّخِذُوْا مِنْ مَّقَامِ اِبْرٰهٖمَ مُصَلًّى ؕ

ترجَمۂ کنزالایمان: اور ابراہیم کے کھڑے ہونے کی جگہ کو نَماز کا مقام بناؤ۔

نمازِ طواف

اب مقامِ ابراہیم کے قریب جگہ ملے تو بہتر ورنہ مسجدِ حرام میں جہاں بھی جگہ ملے اگر وَقْتِ مکروہ نہ ہو تو دو رَکْعت نمازِ طَواف ادا کیجئے، پہلی رَکْعت میں سُوْرَۂ فاتِحہ کے بعد قُلْ یٰۤاَیُّهَا الْكٰفِرُوْنَ اور دوسری میں قُلْ ھُوَ اللّٰہ شریف پڑھئے، یہ نَماز واجِب ہے اور کوئی مجبوری نہ ہو تو طَواف کے بعد فوراً پڑھنا سُنَّت ہے۔ اکثر لوگ کندھا کھلا رکھ کر نَماز پڑھتے ہیں یہ مکروہ ہے۔ اِضْطِباع یعنی کندھا کُھلا رکھنا صِرْف اُس طَواف کے ساتوں پھیروں میں ہے جس کے بعد سَعْی ہوتی ہے۔ اگر وَقْتِ مکروہ داخِل ہو گیا ہو تو بعد میں پڑھ

لیجئے اور یاد رکھئے اس نَماز کا پڑھنا لازِمی ہے۔

مَقامِ ابراہیم پر دو رَکعت ادا کر کے دعا مانگئے، حدیثِ پاک میں ہے:

اللہ عَزَّوَجَلَّ فرماتا ہے: ''جو یہ دُعا کرے گا میں اس کی خطا بخش دوں گا، غم دور کروں گا، محتاجی اُس سے نکال لوں گا، ہر تاجر سے بڑھ کر اس کی تجارت رکھوں گا، دنیا ناچار و مجبور اُس کے پاس آئے گی اگرچہ وہ اُسے نہ چاہے۔'' (ابنِ عَساکِر ج۷ ص۴۳۱) وہ دُعا یہ ہے:

مَقامِ اَبراہیم کی دُعا

اَللّٰھُمَّ اِنَّكَ تَعْلَمُ سِرِّیْ وَعَلَانِیَتِیْ

اے **اللہ** عَزَّوَجَلَّ! تو میری سب چُھپی اورکُھلی باتیں جانتا ہے

فَاقْبَلْ مَعْذِرَتِیْ وَتَعْلَمُ حَاجَتِیْ فَاَعْطِنِیْ

لہٰذا میری معذِرت قبول فرما اور تو میری حاجت کو جانتا ہے لہٰذا میری خواہش کو

سُؤْلِیْ وَتَعْلَمُ مَافِیْ نَفْسِیْ فَاغْفِرْلِیْ ذُنُوْبِیْ ط

پورا کر اور تو میرے دل کا حال جانتا ہے لہٰذا میرے گناہوں کو مُعاف فرما۔

اَللّٰھُمَّ اِنِّیْٓ اَسْئَلُكَ اِیْمَانًا یُّبَاشِرُ قَلْبِیْ وَیَقِیْنًا

اے **اللہ** عَزَّوَجَلَّ! میں تجھ سے مانگتا ہوں ایسا ایمان جو میرے دل میں سما جائے اور ایسا سچا یقین

صَادِقًا حَتّٰی اَعْلَمَ اَنَّہٗ لَا یُصِیْبُنِیْ اِلَّا مَا کَتَبْتَ

کہ میں جان لوں کہ جو کچھ تو نے میری تقدیر میں لکھ دیا ہے وُہی مجھے پہنچے گا

لِیْ وَرِضًا بِمَا قَسَمْتَ لِیْ یَا اَرْحَمَ الرّٰحِمِیْنَ ط

اور تیری طرف سے اپنی قسمت پر رِضامندی، اے سب سے بڑھ کر رَحم فرمانے والے۔

”خلیل“ کے چار حُرُوف کی نسبت سے مَقامِ ابراہیم پر نَماز کے چار مَدَنی پھول

﴿۱﴾ فرمانِ مصطفٰے صلَّی اللہ تعالٰی علیہ والہٖ وسلَّم: ”جو مقامِ ابراہیم کے پیچھے دو رَکعتیں پڑھے، اس کے اگلے پچھلے گناہ بخش دیئے جائیں گے اور قِیامت کے دن اَمن والوں میں مَحشور ہوگا“ (یعنی اٹھایا جائیگا) (الشفا ،الجزء الثانی ص ۹۳) ﴿۲﴾ اکثر لوگ بِھیڑ بھاڑ میں گرتے پڑتے بھی زبردستی ”مقامِ ابراھیم“ کے پیچھے ہی نَماز پڑھتے ہیں، بعض حضرات مستورات کو نَماز پڑھانے کیلئے ہاتھوں کا حلقہ بنا کر راستہ گھیر لیتے ہیں انہیں اِس طرح کرنے کے بجائے بِھیڑ کے موقع پر ”نمازِ طواف“ مَقامِ ابراھیم سے دُور پڑھنی چاہئے کہ طواف کرنے والوں کو بھی تکلیف نہ ہو اور خود کو بھی دھکّے نہ لگیں ﴿۳﴾ مَقامِ ابراھیم کے بعد اِس نَماز کے لیے سب سے افضل کعبۂ معظّمہ کے اندر پڑھنا ہے پھر حَطیم میں میزابِ رحمت کے نیچے اس کے بعد حَطیم میں کسی

اور جگہ پھر کعبۂ معظّمہ سے قریب تر جگہ میں پھر مسجدُ الْحرام میں کسی جگہ پھر حَرَمِ مکّہ کے اندر جہاں بھی ہو۔ (لُبابُ المَناسِك ص ١٠٦) ﴿٤﴾ سنّت یہ ہے کہ وقتِ کراہت نہ ہو تو طَواف کے بعد فوراً نماز پڑھے، بیچ میں فاصلہ نہ ہو اور اگر نہ پڑھی تو عُمر بھر میں جب پڑھے گا، ادا ہی ہے قضا نہیں مگر بُرا کیا کہ سنّت فوت ہوئی۔ (اَلْمَسلَكُ الْمُتَقَسِّط ص ١٥٥)

اب مُلتَزَم پر آیئے!!! مدینہ

نمازِ طَواف ودُعا سے فارِغ ہو کر (مُلْتَزَم کی حاضِری مُستَحَب ہے) مُلْتَزَم سے لپٹ جایئے۔ دروازۂ کعبہ اور حَجَرِ اَسْوَد کے دَرمِیانی حصّے کو مُلْتَزَم کہتے ہیں، اِس میں دروازۂ کعبہ شامل نہیں۔ مُلْتَزَم سے کبھی سینہ لگایئے تو کبھی پیٹ، اِس پر کبھی دایاں رُخسار تو کبھی بایاں رُخسار اور دونوں ہاتھ سَر سے اُونچے کر کے دیوارِ مقدّس پر پھیلایئے یا سیدھا ہاتھ دروازۂ کعبہ کی طرف اور اُلٹا ہاتھ حَجَرِ اَسْوَد کی طرف پھیلایئے۔ خوب آنسو بہایئے اور نہایت ہی عاجزی کے ساتھ گڑگڑا کر اپنے پاک پَروَرْدگار عَزَّوَجَلَّ سے اپنے لئے اور تمام اُمّت کے لئے اپنی زَبان میں دُعا مانگئے کہ مَقامِ قَبول ہے۔ یہاں کی ایک دُعا یہ ہے:

يَاوَاجِدُ يَامَاجِدُ لَا تُزِلْ عَنِّیْ نِعْمَةً اَنْعَمْتَهَا عَلَیَّ ط

اے قدرت والے! اے بزرگ! تو نے مجھے جو نعمت دی، اس کو مجھ سے زائل نہ کر۔

حدیث میں فرمایا: "جب میں چاہتا ہوں جبریل کو دیکھتا ہوں کہ مُلْتَزَم سے لپٹے ہوئے یہ دعا کر رہے ہیں۔" (بہارِ شریعت ج١ ص١١٠٤) اور ہو سکے تو دُرُود شریف پڑھ کر یہ دُعا بھی پڑھئے:

مقامِ مُلتزم پر پڑھنے کی دُعا

اَللّٰھُمَّ یَارَبَّ الْبَیْتِ الْعَتِیْقِ اَعْتِقْ رِقَابَنَا

اے اللہ عَزَّوَجَلَّ! اے اِس قدیم گھر کے مالک! ہماری گردنوں کو اور ہمارے

وَرِقَابَ اٰبَآئِنَا وَاُمَّھَاتِنَا وَاِخْوَانِنَا وَاَوْلَادِنَا مِنَ

(مسلمان) باپ دادوں اور ماؤں (بہنوں) اور بھائیوں اور اولاد کی گردنوں کو

النَّارِ یَاذَا الْجُوْدِ وَالْکَرَمِ وَالْفَضْلِ وَالْمَنِّ وَالْعَطَآءِ

دوزخ سے آزاد کر دے، اے بخشش اور کرم اور فضل اور اِحسان

وَالْاِحْسَانِ ط اَللّٰھُمَّ اَحْسِنْ عَاقِبَتَنَا فِی الْاُمُوْرِ

اور عطا والے! اے اللہ عَزَّوَجَلَّ! تمام مُعامَلات میں ہمارا انجام

کُلِّھَا وَاَجِرْنَا مِنْ خِزْیِ الدُّنْیَا وَعَذَابِ

بخیر فرما اور ہمیں دنیا کی رسوائی اور آخرت کے عذاب سے محفوظ رکھ۔

الْاٰخِرَةِ ط اَللّٰھُمَّ اِنِّیْ عَبْدُكَ وَابْنُ عَبْدِكَ وَاقِفٌ

اے اللہ عَزَّوَجَلَّ! میں تیرا بندہ ہوں اور بندہ زادہ ہوں، تیرے (مقدّس گھر کے) دروازے کے

تَحۡتَ بَابِكَ مُلۡتَزِمٌ بِاَعۡتَابِكَ مُتَذَلِّلٌ

نیچے کھڑا ہوں، تیرے دروازے کی چوکھٹوں سے لپٹا ہوں، تیرے سامنے عاجزی کا اظہار کر رہا ہوں

بَيۡنَ يَدَيۡكَ اَرۡجُوۡ رَحۡمَتَكَ وَاَخۡشٰى عَذَابَكَ

اور تیری رَحمت کا طلب گار ہوں اور تیرے دوزخ کے عذاب سے ڈر رہا ہوں

مِنَ النَّارِ يَا قَدِيۡمَ الۡاِحۡسَانِ ط اَللّٰهُمَّ اِنِّیۡۤ اَسۡئَلُكَ

اے ہمیشہ کے محسن !(اب بھی احسان فرما) اے اللہ عَزَّوَجَلَّ! میں تجھ سے سُوال کرتا ہوں کہ

اَنۡ تَرۡفَعَ ذِكۡرِیۡ وَتَضَعَ وِزۡرِیۡ وَتُصۡلِحَ

میرے ذِکر کو بلندی عطا فرما اور میرے گناہوں کا بوجھ ہلکا کر اور میرے کاموں کو

اَمۡرِیۡ وَتُطَهِّرَ قَلۡبِیۡ وَتُنَوِّرَ لِیۡ فِیۡ قَبۡرِیۡ

دُرُست فرما اور میرے دل کو پاک کر اور میرے لئے قَبۡر میں روشنی فرما

وَتَغۡفِرَ لِیۡ ذَنۡبِیۡ وَاَسۡئَلُكَ الدَّرَجَاتِ الۡعُلٰى

اور میرے گناہ مُعاف فرما اور میں تجھ سے جنّت کے اونچے دَرَجوں کی بھیک مانگتا

مِنَ الۡجَنَّةِ ط اٰمِيۡن بِجَاهِ النَّبِيِّ الۡاَمِيۡن صَلَّى اللّٰهُ عَلَيۡهِ وَسَلَّمَ

ہوں۔ اٰمِین بِجاہِ النَّبِیِّ الۡاَمین صَلَّی اللہ تعالٰی علیہ واٰلہٖ وسلّم

ایک اہم مسئلہ مدینہ

مُلتَزَم کے پاس نَمازِ طَواف کے بعد آنا اُس طَواف میں ہے جس کے بعد سَعْی ہے اور جس کے بعد سَعْی نہ ہو مَثَلاً طوافِ نَفْل یا طَوافُ الزِّیارَۃ (جب کہ حج کی سَعْی سے پہلے فارِغ ہو چکے ہوں) اُس میں نَماز سے پہلے **مُلتَزَم** سے لپٹئے، پھر مَقامِ اِبراہیم کے پاس جا کر دو رَکْعَت نَماز ادا کیجئے۔ **(اَلْمَسلَکُ الْمُتَقَسِّط ص ۱۳۸)**

آبِ زم زم پر آئیے! مدینہ

اب بابُ الکعبہ کے سامنے والی سیدھ میں دور رکھے ہوئے **آبِ زَم زَم شریف** کے کولروں پر تشریف لائیے اور (یاد رہے! مسجِد میں آبِ زَم زَم پیتے وَقْت اعتِکاف کی نیّت ہونا ضَروری ہے) قِبلہ رُو کھڑے کھڑے تین سانس میں خوب پیٹ بھر کر پئیں، **فرمانِ مصطَفٰے** صَلَّی اللہ تعالٰی علیہ والہٖ وسلَّم ہے: ہمارے اور مُنافقین کے درمیان فرق یہ ہے کہ وہ زَمزم پیٹ بھر کر نہیں پیتے۔ (ابن ماجہ ج۳ ص۴۸۹ حدیث ۳۰۶۱) ہر بار **بِسْمِ الله** سے شُروع کیجئے اور پینے کے بعد **اَلْحَمْدُ لِلّٰہ** عَزَّوَجَلَّ کہئے ہر بار کَعْبۂ مُشَرَّفہ کی طرف نِگاہ اُٹھا کر دیکھ لیجئے، باقی پانی جِسْم پر ڈالئے یا مُنہ، سَر اور بدن پر اُس سے مَسْح کر لیجئے مگر یہ اِحتیاط رکھئے کہ کوئی قطرہ زمین پر نہ گرے۔ پیتے وَقْت دُعا کیجئے کہ قَبول ہے۔

دو فرامینِ مصطَفٰے صَلَّی اللہ تعالٰی علیہ والہٖ وسلَّم: ﴿۱﴾ یہ (آبِ زَم زَم) بابَرَکت ہے اور

بھوکے کیلئے کھانا ہے اور مریض کیلئے شِفا ہے۔ (ابوداود طیالسی ص ٦١ حدیث ٤٥٧) ﴿۲﴾

زَم زَم جس مراد سے پیا جائے اُسی کیلئے ہے۔ (ابنِ ماجہ ج ٣ ص ٤٩٠ حدیث٣٠٦٢) ؎

یہ زَم زَم اُس لئے ہے جس لئے اِس کو پئے کوئی

اِسی زَم زَم میں جنّت ہے، اِسی زَم زَم میں کوثر ہے (ذوقِ نعت)

آبِ زم زم پی کر یہ دُعا پڑھئے

اَللّٰھُمَّ اِنِّیۤ اَسْئَلُكَ عِلْمًا نَّافِعًا وَّ رِزْقًا وَّاسِعًا

ترجمہ: اے اللہ عَزَّوَجَلَّ! میں تجھ سے علم نافِع اور کشادہ رِزْق

وَّشِفَآءً مِّنْ كُلِّ دَآءٍ

اور ہر بیماری سے صحّت یابی کا سُوال کرتا ہوں۔

آبِ زم زم پیتے وقت دُعا مانگنے کا طریقہ

مدینہ

شارحِ مُسلِم شریف حضرتِ سیِّدُنا امام نَوَوِی شافعی عَلَیْہِ رَحْمَۃُ اللہِ القَوِی فرماتے ہیں: پس اُس شخص کے لئے مُستَحَب ہے جو مغفِرت یا مَرَض وغیرہ سے شِفا کے لئے آبِ زَم زَم پینا چاہتا ہے کہ قبلہ رُو ہو کر پھر

بِسۡمِ اللّٰہِ الرَّحۡمٰنِ الرَّحِیۡمِ پڑھے پھر کہے: ''اے **اللہ** مجھے یہ حدیث پہنچی کہ تیرے رسول صَلَّی اللہ تعالٰی علیہ والہٖ وسلَّم نے فرمایا: ''آبِ زم زم اُس مقصد کے لئے ہے کہ جس کے لئے اسے پیا جائے۔'' (مسند امام احمد ج۵ ص۱۳۶ حدیث ۱۸۵۵) (پھر یُوں دعائیں مانگے مَثَلاً) اے **اللہ**! میں اسے پیتا ہوں تاکہ تو مجھے بَخْش دے یا اے **اللہ**! میں اسے پیتا ہوں اس کے ذَرِیْعے اپنے مَرَض سے شِفا چاہتے ہوئے، اے **اللہ**! پس تو مجھے شِفا عطا فرمادے'' اور مِثْل اس کے (یعنی حسبِ ضَرورت اِسی طرح مختلف دعائیں کرے) (الایضاح فی مناسك الحج للنووی ص ٤٠١)

زیادہ ٹھنڈا نہ پئیں

مدینہ ۱: بَہُت ٹھنڈا پانی استِعمال نہ فرمائیں کہیں آپ کی عِبادت میں رُکاوٹ کے اسباب نہ پیدا ہو جائیں! نَفْس کی خواہِش کو دباتے ہوئے ایسے کولر سے آبِ زم زم نوش فرمائیں جس پر لکھا ہو: **زَمْ زَمْ غَیرُ مُبَرَّد** (یعنی غیر ٹھنڈا زم زم)۔

نظر تیز ہوتی ہے

مدینہ ۲: آبِ زم زم دیکھنے سے نظر تیز ہوتی اور گناہ دُور ہوتے ہیں، تین چُلّو سَر پر ڈالنے سے ذلّت ورُسوائی سے حفاظت ہوتی ہے۔

(البحر العمیق فی المناسك ج ٥ ص ٢٥٦٩۔٢٥٧٣)

تُو ہر سال حج پر بُلا یاالٰہی

وہاں آبِ زم زَم پِلا یاالٰہی

صَلُّوا عَلَی الْحَبِیب ! صلَّی اللّٰہُ تعالٰی علٰی محمَّد

صفاومروہ کی سعی[1]

اگر کوئی مجبوری یا تھکن وغیرہ نہ ہو تو ابھی ورنہ آرام کر کے صَفا ومَروہ کی سَعْی کے لئے تیّار ہو جایئے، یاد رہے کہ سَعْی میں اِضْطِباع یعنی کندھا کُھلا رکھنا نہیں ہے۔ اب سَعْی کے لئے حَجَرِ اَسْوَد کا پہلے ہی کی طرح دونوں ہاتھ کانوں تک اُٹھا کر یہ دُعا:

بِسْمِ اللّٰہِ وَالْحَمْدُ لِلّٰہِ وَاللّٰہُ اَکْبَرُ وَالصَّلٰوۃُ وَالسَّلَامُ عَلٰی رَسُوْلِ اللّٰہِ ؕ پڑھ کر اِستِلام کیجئے۔ اور نہ ہو سکے تو اُس کی طرف مُنہ کر کے اَللّٰہُ اَکْبَرُ وَلَآ اِلٰہَ اِلَّا اللّٰہُ وَالْحَمْدُ لِلّٰہِ اور دُرُود پڑھتے ہوئے فوراً بابُ الصَّفا پر آیئے! "کوہِ صَفا" چُونکہ "مسجدِ حرام" سے باہر واقِع ہے اور ہمیشہ مسجِد سے باہَر نکلتے وَقْت اُلٹا پاؤں نکالنا سُنَّت ہے، لٰہذا یہاں بھی پہلے اُلٹا پاؤں نکالئے اور حسبِ معمول دُرُود شریف پڑھ کر مسجِد سے باہَر آنے کی یہ دُعا پڑھئے:

مدینہ

[1] تہ خانے (BASEMENT) میں سَعْی کیجئے۔

اَللّٰھُمَّ اِنِّیْٓ اَسْئَلُكَ مِنْ فَضْلِكَ وَ رَحْمَتِكَ

اے اللہ عَزَّوَجَلَّ! میں تجھ سے تیرے فضل اور تیری رَحمت کا سُوال کرتا ہوں۔

اب دُرُود و سلام پڑھتے ہوئے صَفا پر اِتنا چڑھئے کہ کعبۂ مُعظّمہ نظر آجائے اور یہ بات یہاں معمولی سا چڑھنے پر حاصل ہوجاتی ہے، عوامُ النّاس کی طرح زیادہ اُوپر تک نہ چڑھئے اب یہ دُعا پڑھئے:

اَبْدَءُ بِمَا بَدَأَ اللّٰهُ تَعَالٰى بِهٖ ﴿ اِنَّ الصَّفَا وَ

میں اس سے شُروع کرتا ہوں جس کو اللہ عَزَّوَجَلَّ نے پہلے ذِکر کیا۔ ﴿ترجمۂ کنز الایمان: بے شک صفا اور

الْمَرْوَةَ مِنْ شَعَآىِٕرِ اللّٰهِ ۚ فَمَنْ حَجَّ الْبَیْتَ

مَروہ اللہ کے نشانوں سے ہیں تو جو اس گھر کا حج

اَوِ اعْتَمَرَ فَلَا جُنَاحَ عَلَیْهِ اَنْ یَّطَّوَّفَ بِهِمَا ؕ

یا عمرہ کرے، اس پر کچھ گناہ نہیں کہ ان دونوں کے پھیرے کرے

وَ مَنْ تَطَوَّعَ خَیْرًا ۙ فَاِنَّ اللّٰهَ شَاكِرٌ عَلِیْمٌ ﴿۱۵۸﴾

اور جو کوئی بھلی بات اپنی طرف سے کرے تو اللہ عَزَّوَجَلَّ نیکی کا صِلہ دینے والا خبردار ہے۔﴾ (پ۲، البقرۃ:۱۵۸)

صفا پر عوام کے مختلف انداز! کافی لوگ کعبہ شریف کی طرف ہتھیلیاں کرتے ہیں، بعض ہاتھ لہرا رہے ہوتے ہیں تو بعض تین[۳] بار کانوں تک ہاتھ اُٹھا کر چھوڑ دیتے ہیں، آپ ایسا نہ کریں بلکہ حسبِ معمول دُعا کی طرح ہاتھ کندھوں تک اُٹھا کر **کعبۂ مُعَظَّمہ** کی طرف مُنہ کئے اُتنی دیر تک دُعا مانگئے جتنی دیر میں **سُوْرَۃُ الْبَقَرَۃ** کی **25** آیتوں کی تِلاوت کی جائے، خوب گڑگڑا کر اور ہو سکے تو رو رو کر دُعا مانگئے کہ یہ **قَبولیّت کامَقام** ہے۔ اپنے لئے اور تمام جِنّ واِنس مُسلمین کی خیر و بھلائی کے لئے اور احسانِ عظیم ہوگا کہ مجھ گنہگاروں کے سردار **سگِ مدینہ** عُفِیَ عَنْہٗ کی بے حساب مغفِرت ہونے کے لئے بھی دُعا مانگئے۔ نیز **دُرُود شریف** پڑھ کر یہ دُعا پڑھئے:[۱]

---

[۱] رَمیِ جَمرات، وُقوفِ عَرَفات وغیرہ کے لئے جس طرح نیّت شرط نہیں اسی طرح سَعْی میں بھی شَرط نہیں بغیر نیّت کے بھی اگر کسی نے سَعْی کی تو ہو جائے گی مگر سَعْی میں نیّت کر لینا مُسْتَحَب ہے۔ نیّت نہیں ہوگی تو ثواب نہیں ملے گا۔

کوہِ صفا کی دُعا

اَللّٰہُ اَکْبَرُ ؕ اَللّٰہُ اَکْبَرُ ؕ اَللّٰہُ اَکْبَرُ ؕ لَآ اِلٰہَ

اللہ عَزَّوَجَلَّ سب سے بڑا ہے اللہ عَزَّوَجَلَّ سب سے بڑا ہے اللہ عَزَّوَجَلَّ سب سے بڑا ہے اللہ عَزَّوَجَلَّ کے سوا

اِلَّا اللّٰہُ وَاللّٰہُ اَکْبَرُ ؕ اَللّٰہُ اَکْبَرُ ؕ وَلِلّٰہِ الْحَمْدُ

کوئی عبادت کے لائق نہیں، اور اللہ عَزَّوَجَلَّ سب سے بڑا ہے۔ اللہ عَزَّوَجَلَّ سب سے بڑا ہے۔ اور حمد ہے اللہ (عَزَّوَجَلَّ) کے لیے

اَلْحَمْدُ لِلّٰہِ عَلٰی مَا ھَدٰنَا اَلْحَمْدُ لِلّٰہِ عَلٰی مَآ اَوْلٰنَا

کہ اس نے ہم کو ہدایت کی، حمد ہے اللہ (عَزَّوَجَلَّ) کے لیے کہ اس نے ہم کو دیا،

اَلْحَمْدُ لِلّٰہِ عَلٰی مَآ اَلْھَمَنَا ؕ اَلْحَمْدُ لِلّٰہِ الَّذِیْ

حمد ہے اللہ (عَزَّوَجَلَّ) کے لیے کہ اس نے ہم کو الہام کیا، حمد ہے اللہ (عَزَّوَجَلَّ) کے لیے جس نے

ھَدٰنَا لِھٰذَا وَمَا کُنَّا لِنَھْتَدِیَ لَوْلَآ اَنْ ھَدٰنَا

ہم کو اس کی ہدایت کی اور اگر اللہ (عَزَّوَجَلَّ) ہدایت نہ کرتا تو ہم ہدایت نہ پاتے۔

اللّٰہُ ؕ لَآ اِلٰہَ اِلَّا اللّٰہُ وَحْدَہٗ لَا شَرِیْکَ لَہٗ ؕ لَہٗ

اللہ (عَزَّوَجَلَّ) کے سوا کوئی معبود نہیں، جو اکیلا ہے اس کا کوئی شریک نہیں، اسی کے لیے

الْمُلْكُ وَلَهُ الْحَمْدُ يُحْيِي وَيُمِيتُ وَهُوَ حَيٌّ

مُلک ہے اور اسی کے لیے حمد ہے، وہی زندہ کرتا اور مارتا ہے اور وہ خود زندہ ہے

لَا يَمُوتُ بِيَدِهِ الْخَيْرُ وَهُوَ عَلٰى كُلِّ شَيْءٍ

مرتا نہیں، اُسی کے ہاتھ میں خیر ہے اور وہ ہر شے پر

قَدِيرٌ ط لَا اِلٰهَ اِلَّا اللّٰهُ وَحْدَهٗ صَدَقَ وَعْدَهٗ

قادر ہے۔ اللہ (عَزَّوَجَلَّ) کے سوا کوئی معبود نہیں جو اکیلا ہے، اس نے اپنا وعدہ سچّا کیا

وَنَصَرَ عَبْدَهٗ وَاَعَزَّ جُنْدَهٗ وَهَزَمَ الْاَحْزَابَ

اور اپنے بندے کی مدد کی اور اپنے لشکر کو غالب کیا اور کافروں کی جماعتوں کو تنہا اس نے شکست دی۔

وَحْدَهٗ ط لَا اِلٰهَ اِلَّا اللّٰهُ وَلَا نَعْبُدُ اِلَّا اِيَّاهُ

اللہ (عَزَّوَجَلَّ) کے سوا کوئی معبود نہیں ہم اسی کی عبادت کرتے ہیں،

مُخْلِصِينَ لَهُ الدِّينَ وَلَوْ كَرِهَ الْكَافِرُونَ ط

اسی کے لیے دین کو خالص کرتے ہوئے اگرچہ کافر بُرا مانیں۔

﴿فَسُبْحٰنَ اللّٰهِ حِيْنَ تُمْسُوْنَ وَحِيْنَ

﴿ اللہ (عَزَّوَجَلَّ) کی پاکی ہے شام و

تُصْبِحُوْنَ ﴿١٧﴾ وَلَهُ الْحَمْدُ فِي السَّمٰوٰتِ

صُبح اور اسی کے لیے حمد ہے آسمانوں

وَالْاَرْضِ وَعَشِيًّا وَّحِيْنَ تُظْهِرُوْنَ ﴿١٨﴾

اور زمین میں اور تیسرے پہر کو اور ظہر کے وقت،

يُخْرِجُ الْحَيَّ مِنَ الْمَيِّتِ وَيُخْرِجُ

وہ زندہ کو مُردہ سے نکالتا ہے اور مُردہ کو

الْمَيِّتَ مِنَ الْحَيِّ وَيُحْيِ الْاَرْضَ بَعْدَ

زندہ سے نکالتا ہے اور زمین کو اُس کے مرنے کے بعد

مَوْتِهَا ۭ وَكَذٰلِكَ تُخْرَجُوْنَ ﴿١٩﴾ اَللّٰهُمَّ

زندہ کرتا ہے اور اسی طرح تم نکالے جاؤگے الٰہی!

كَمَا هَدَيْتَنِيْ لِلْاِسْلَامِ اَسْاَلُكَ اَنْ لَّا

تو نے جس طرح مجھے اسلام کی طرف ہدایت کی، تجھ سے سوال کرتاہوں کہ

تَنْزِعَهُ مِنِّيْ حَتّٰى تَوَفَّانِيْ وَاَنَا مُسْلِمٌ ۭ

اسے مجھ سے جُدا نہ کرنا یہاں تک کہ مجھے اسلام پر موت دے،

سُبْحٰنَ اللّٰهِ وَالْحَمْدُ لِلّٰهِ وَلَآ اِلٰهَ اِلَّا اللّٰهُ

اللہ (عَزَّوَجَلَّ) کے لیے پاکی ہے اور اللہ (عَزَّوَجَلَّ) کے لیے حمد ہے اور اللہ (عَزَّوَجَلَّ) کے سوا کوئی معبود نہیں

وَاللّٰهُ اَكْبَرُ وَلَا حَوْلَ وَلَا قُوَّةَ اِلَّا بِاللّٰهِ

اور اللہ (عَزَّوَجَلَّ) سب سے بڑا ہے، اور گناہ سے پھرنا اور نیکی کی طاقت نہیں مگر اللہ (عَزَّوَجَلَّ) کی مدد سے

الْعَلِيِّ الْعَظِيْمِ ط اَللّٰهُمَّ اَحْيِنِىْ عَلٰى سُنَّةِ

جو برتر و بُزُرگ ہے۔ الٰہی! تو مجھ کو اپنے

نَبِيِّكَ مُحَمَّدٍ صَلَّى اللّٰهُ تَعَالٰى عَلَيْهِ وَاٰلِهٖ وَسَلَّمَ

نبی محمد صَلَّی اللہ تعالیٰ علیہ واٰلہٖ وسلَّم کی سنّت پر زندہ رکھ

وَتَوَفَّنِىْ عَلٰى مِلَّتِهٖ وَاَعِذْنِىْ مِنْ مُّضِلَّاتِ

اور ان کی ملّت پر وفات دے اور فِتنوں کی گمراہیوں

الْفِتَنِ ط اَللّٰهُمَّ اجْعَلْنَا مِمَّنْ يُّحِبُّكَ

سے بچا، الٰہی! تو مجھ کو ان لوگوں میں کر جو تجھ سے مَحبت رکھتے ہیں

وَيُحِبُّ رَسُوْلَكَ وَاَنْبِيَآئِكَ وَمَلٰٓئِكَتِكَ

اور تیرے رسول وانبیاء وملائکہ اور نیک بندوں سے

وَعِبَادِكَ الصّٰلِحِيْنَ ط اَللّٰهُمَّ يَسِّرْلِيَ

محبّت رکھتے ہیں۔ الٰہی! میرے لیے آسانی مُیَسَّر کر

الْيُسْرٰى وَجَنِّبْنِيَ الْعُسْرٰى اَللّٰهُمَّ اَحْيِنِيْ

اور مجھے سختی سے بچا، الٰہی! اپنے رسول محمد

عَلٰى سُنَّةِ رَسُوْلِكَ مُحَمَّدٍ صَلَّى اللّٰهُ

صَلَّی اللہ تعالیٰ علیہ واٰلہٖ وسلَّم کی سنّت پر مجھ کو زندہ رکھ

تَعَالٰى عَلَيْهِ وَاٰلِهٖ وَسَلَّمَ وَتَوَفَّنِيْ مُسْلِمًا وَّ

اور مسلمان مار اور

اَلْحِقْنِيْ بِالصّٰلِحِيْنَ وَاجْعَلْنِيْ مِنْ

نیکوں کے ساتھ ملا اور جنّتُ النّعیم

وَّرَثَةِ جَنَّةِ النَّعِيْمِ وَاغْفِرْلِيْ خَطِيْٓئَتِيْ

کا وارِث کر اور قِیامت کے دن میری خطا

يَوْمَ الدِّيْنِ ط اَللّٰهُمَّ اِنَّا نَسْئَلُكَ اِيْمَانًا كَامِلًا

بخش دے۔ الٰہی! تجھ سے ایمانِ کامل

وَّقَلْبًا خَاشِعًا وَّنَسْئَلُكَ عِلْمًا نَّافِعًا

اور قلبِ خاشع کا ہم سُوال کرتے ہیں اور ہم تجھ سے عِلْمِ نافع

وَّيَقِيْنًا صَادِقًا وَّدِيْنًا قَيِّمًا وَّنَسْئَلُكَ

اور یقین صادِق اور دینِ مُستقیم کا سُوال کرتے ہیں اور ہر

الْعَفْوَ وَالْعَافِيَةَ مِنْ كُلِّ بَلِيَّةٍ وَّنَسْئَلُكَ

بلا سے عَفْو و عافیّت کا سُوال کرتے ہیں اور

تَمَامَ الْعَافِيَةِ وَنَسْئَلُكَ دَوَامَ الْعَافِيَةِ

پوری عافیّت اور عافیّت کی ہمیشگی

وَنَسْئَلُكَ الشُّكْرَ عَلَى الْعَافِيَةِ وَنَسْئَلُكَ

اور عافیت پُر شکر کا سُوال کرتے ہیں اور آدمیوں

الْغِنٰى عَنِ النَّاسِ ط اَللّٰهُمَّ صَلِّ وَسَلِّمْ

سے بے نیازی کا سُوال کرتے ہیں۔ الٰہی! تو دُرُود و سلام

وَبَارِكْ عَلٰى سَيِّدِنَا مُحَمَّدٍ وَّعَلٰى اٰلِهٖ

و بَرَکت نازل کر ہمارے سردار محمد صَلَّی اللہ تعالٰی علیہ واٰلہٖ وسلَّم

وَصَحْبِهٖ عَدَدَ خَلْقِكَ وَرِضَا نَفْسِكَ

اور ان کی آل و اصحاب پر بقدرِ شمار تیری مخلوق اور تیری رِضا

وَزِنَةَ عَرْشِكَ وَمِدَادَ كَلِمَاتِكَ كُلَّمَا

اور وزن تیرے عَرش کے اور بقدرِ درازی

ذَكَرَكَ الذَّاكِرُوْنَ وَغَفَلَ عَنْ ذِكْرِكَ

تیرے کلمات کے جب تک ذِکر کرنے والے تیرا ذِکر کرتے رہیں اور جب تک غافِل تیرے

الْغَافِلُوْنَ ط اٰمِيْن بِجَاهِ النَّبِيِّ الْاَمِيْن صلی اللہ علیہ وسلم

ذِکر سے غافِل رہیں۔ اٰمِين بِجَاهِ النَّبِيِّ الْاَمِين صَلَّی اللہ تعالیٰ علیہ والہٖ وسلّم

دُعا خَتْم ہونے کے بعد ہاتھ چھوڑ دیجئے اور دُرُود شریف پڑھ کر سَعْی کی نِیَّت اپنے دِل میں کرلیجئے مگر زَبان سے بھی کہہ لینا بہتر ہے۔ معنیٰ ذِہْن میں رکھتے ہوئے اِس طرح نِیَّت کیجئے:

سَعْی کی نِیَّت

اَللّٰهُمَّ اِنِّیْ اُرِيْدُ السَّعْیَ بَيْنَ الصَّفَا وَالْمَرْوَةِ

ترجمہ: اے اللہ عَزَّوَجَلَّ! میں تیری خوشنودی کی خاطِر صَفا اور مَروَہ کے درمیان سَعْی کے

سَبْعَةَ اَشْوَاطٍ لِّوَجْهِكَ الْكَرِيْمِ فَيَسِّرْهُ

سات پھیرے کرنے کا ارادہ کر رہاہوں تو اسے میرے لئے آسان فرمادے

لِيْ وَتَقَبَّلْهُ مِنِّيْ ط

اور اسے میری طرف سے قبول فرما۔

صفا مروہ سے اُترنے کی دُعا

اَللّٰهُمَّ اسْتَعْمِلْنِيْ بِسُنَّةِ نَبِيِّكَ صَلَّى اللّٰهُ تَعَالٰى

اے اللہ عَزَّوَجَلَّ! تو مجھے اپنے پیارے نبی صَلَّی اللہ تعالیٰ علیہ والہٖ وسلَّم کی سنّت کا تابع بنادے

عَلَيْهِ وَاٰلِهٖ وَسَلَّمَ وَتَوَفَّنِيْ عَلٰى مِلَّتِهٖ وَاَعِذْنِيْ مِنْ

اور مجھے ان کے دین پر موت نصیب فرما اور مجھے پناہ دے

مُضِلَّاتِ الْفِتَنِ بِرَحْمَتِكَ يَا اَرْحَمَ الرّٰحِمِيْنَ ط

فِتنوں کی گمراہیوں سے اپنی رَحمت کے ساتھ، اے سب سے زیادہ رَحم کرنے والے۔

صَفا سے اب ذِکر و دُرُود میں مشغول دَرمیانہ چال چلتے ہوئے جانبِ مَروہ چلئے (آج کل تو یہاں سنگِ مَرمَر بچھا ہوا ہے اور ایئر کولر بھی لگے ہیں۔ایک سَعی وہ بھی تھی جو

سیِّدَتُنا ہاجرہ رضی اللہ تعالٰی عنہا نے کی تھی، ذرا اپنے ذِہن میں وہ دِل ہلا دینے والا منظر تازہ کیجئے، جب یہاں بے آب وگیاہ میدان تھا اور ننّھے مُنّے اسماعیل عَلٰی نَبِیِّنا وَعَلَیْہِ الصَّلٰوۃُ وَالسَّلام شدّتِ پیاس سے بِلَک رہے تھے اور حضرتِ سیِّدَتُنا ہاجرہ رضی اللہ تعالٰی عنہا تلاشِ آب (پانی) میں بے تاب چلچلاتی دھوپ کے اندر اِن سنگلاخ راستوں میں پھر رہی تھیں) جُوں ہی پہلا سبز میل آئے مَرْد دوڑنا شروع کر دیں۔ (مگر مُہذّب طریقے پر نہ کہ بے تحاشہ) اور سُوار سُواری تیز کر دیں، ہاں اگر بھیڑ زِیادہ ہو تو تھوڑا رُک جائیے جب کہ بھیڑ کم ہونے کی اُمّید ہو۔ دوڑنے میں یہ یاد رکھئے کہ خود کو یا کسی دوسرے کو اِیذا نہ پہنچے کہ یہاں دَوڑنا سُنّت ہے جب کہ کسی مسلمان کو قَصْداً اِیذا دینا حرام۔ اِسلامی بہنیں نہ دَوڑیں۔ اب اِسلامی بھائی دوڑتے ہوئے اور اِسلامی بہنیں چلتے ہوئے یہ دُعا پڑھیں:

سبز مِیلوں کے دَرمیان پڑھنے کی دُعا

رَبِّ اغْفِرْ وَارْحَمْ وَتَجَاوَزْ عَمَّا تَعْلَمُ اِنَّكَ

اے اللہ عَزَّوَجَلَّ! مجھے معاف فرما اور مجھ پر رَحم کر اور میری خطائیں جو کہ یقیناً تیرے عِلم میں ہیں اُن سے درگزر فرما، بے شک تُو

تَعْلَمُ مَا لَا نَعْلَمُ ؕ اِنَّكَ اَنْتَ الْاَعَزُّ الْاَكْرَمُ

جانتا ہے ہمیں اس کا عِلم نہیں۔ بے شک تو عِزّت و اِکرام والا ہے

وَاهْدِنِیْ لِلَّتِیْ هِیَ اَقْوَمُ ؕ اَللّٰهُمَّ اجْعَلْهَا عُمْرَةً

اور مجھے صِراطِ مُستقیم پہ قائم رکھ، اے **اللہ** عَزَّوَجَلَّ! میرے عُمرے کو

مَّبْرُوْرَةً وَّسَعْیًا مَّشْكُوْرًا وَّذَنْبًا مَّغْفُوْرًا ؕ

مَبْرُور اور میری سَعْی کو مشکور (پسندیدہ) اور میرے گناہوں کو بخش دے۔

جب دوسرا **سبز میل** آئے تو آہستہ ہو جائیے اور درمیانہ چال سے جانِب مروہ بڑھے چلئے۔ اے لیجئے! **مَروہ شریف** آ گیا، عوام النّاس دُور اُوپر تک چڑھے ہوئے ہیں۔ آپ اُن کی نَقل مت کیجئے یہاں پہلی سیڑھی پر چڑھنے بلکہ اُس کے قریب زمین پر کھڑے ہونے سے بھی مَروہ پر چڑھنا ہو گیا، یہاں اگرچہ عمارات بن جانے کے سبب کعبہ شریف نظر نہیں آتا مگر کعبۂ مُشرَّفہ کی طرف مُنہ کر کے صَفا کی طرح اُتنی ہی دیر تک دُعا مانگئے۔ اب نیّت کرنے کی ضَرورت نہیں کہ وہ تو پہلے ہو چکی یہ **ایک پھیرا** ہوا۔

اب حسبِ سابِق دُعا پڑھتے ہوئے مَروہ سے جانِب صَفا چلئے اور حسبِ معمول مِیلَینِ اَخضَرَین (یعنی سبز میلوں) کے دَرمیان مَرْد دوڑتے ہوئے اور اِسلامی بہنیں چلتے ہوئے وُہی دُعا پڑھیں، اب صَفا پر پہنچ کر **دو پھیرے** پورے ہوئے۔ اِسی طرح صَفا اور مَروہ کے دَرمِیان چلتے، دوڑتے **ساتواں پھیرا** مَروہ پر خَتم ہو گا،

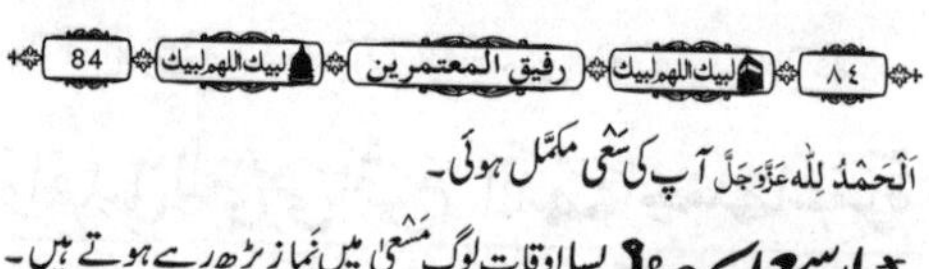

اَلْحَمْدُ لِلّٰہ عَزَّوَجَلَّ آپ کی سَعْی مکمَّل ہوئی۔

دورانِ سعی ایک ضروری احتیاط

بسا اوقات لوگ مَسْعیٰ میں نماز پڑھ رہے ہوتے ہیں۔ دورانِ طواف تو نمازی کے آگے سے گزرنا جائز ہے مگر دورانِ سَعْی ناجائز۔ ایسے موقع پر رُک کر نمازی کے سلام پھیرنے کا انتظار کرلیجئے۔ ہاں کسی گزرنے والے کو آڑ بنا کر گزر سکتے ہیں۔

نمازِ سعی مُستحب ہے

اب ہو سکے تو مسجدِ حرام میں دو رَکْعت نمازِ نَفْل (اگر مکروہ وَقْت نہ ہو تو) ادا کرلیجئے کہ مُسْتَحَب ہے۔ ہمارے پیارے آقا صَلَّی اللہ تعالٰی علیہ والہٖ وسلَّم نے سَعْی کے بعد مَطاف کے کَنارے حَجَرِ اَسْوَد کی سیدھ میں دو نَفْل ادا فرمائے ہیں۔

(مُسنَد اِمام احمد ج۱۰ ص ۳۵۴ حدیث۲۷۳۱۳، رَدُّالْمُحتار ج۳ ص ۵۸۹)

حلق یا تقصیر

اب مرد حَلْق کریں یعنی سَر مُنڈوا دیں یا تَقْصِیر کریں یعنی بال کتروائیں۔ مگر حَلْق کروانا بہتر ہے۔

تقصیر کی تعریف

تَقْصِیر یعنی کم از کم چوتھائی (1/4) سَر کے بال اُنگلی کے پَورے برابر کٹوانا۔ اِس میں یہ اِحتِیاط رکھئے کہ ایک

پَورے سے زِیادہ کٹیں تاکہ سر کے بیچ میں جو چھوٹے چھوٹے بال ہوتے ہیں وہ بھی ایک پَورے کے برابر کٹ جائیں۔ بعض لوگ قینچی سے دو تین جگہ کے چند بال کاٹ لیا کرتے ہیں، حَنفِیّوں کے لئے یہ طریقہ غَلَط ہے اور اِس طرح اِحْرام کی پابندیاں بھی ختم نہ ہوں گی۔

اِسلامی بہنوں کی تقصیر مدینہ

اِسلامی بہنوں کو سَر مُنڈانا حرام ہے وہ صِرف تقْصیر کروائیں۔ اِس کا آسان طریقہ یہ ہے کہ اپنی چُٹیا کے سِرے کو اُنگلی کے گرد لپیٹ کر اُتنا حصّہ کاٹ لیں، لیکن یہ اِحتیاط لازِمی ہے کہ کم از کم چوتھائی (1/4) سَر کے بال ایک پَورے کے برابر کٹ جائیں۔

آپ کو مبارَک ہو اَلْحَمْدُ لِلّٰہ عَزَّوَجَلَّ آپ عُمرے سے فارِغ ہوگئے۔

شَرَف مجھ کو عُمرے کا مولیٰ دِیا ہے
کرم مجھ گنہگار پر یہ بڑا ہے

صَلُّوا عَلَی الْحَبِیب! صلَّی اللّٰہُ تعالٰی علٰی محمَّد

چپّلوں کے بارے میں ضروری مسئلہ مدینہ

مسجدِ حرام و مسجدُ النَّبوِیِّ الشَّریف عَلٰی صَاحِبِھَا الصَّلٰوۃُ وَالسَّلام کے مبارَک دروازوں کے باہَر بے شُمار لوگ جوتے چپّل اُتار دیتے ہیں پھر واپَسی میں جو

بھی جُوتا پسند آیا پہن کر چلتے بنتے ہیں! اِس طرح کے جُوتے یا چپّل بِلا اجازتِ شَرعی جتنی بار استِعمال کریں گے اُتنی تعداد میں گناہ ہوتا رہے گا مَثَلاً بلا اجازتِ شَرعی ایک بار کے اُٹھائے ہوئے جُوتے 100 بار پہنے تو 100 مرتبہ پہننے کا گناہ ہوا۔ اِن جُوتوں کے اَحکام ''لُقَطَہ'' (یعنی کسی کی گِری پڑی چیز) کے ہیں کہ مالِک ملنے کی امّید ہی خَتْم ہو جائے تو جس کو یہ ''لُقَطَہ'' ملا اگر یہ فقیر ہے تو خود رکھ سکتا ہے ورنہ کسی فَقیر کو دے دے۔

جس نے دوسروں کے جُوتے ناجائز استِعمال کر لئے اب کیا کریں؟

مذکورہ انداز پر دُنیا میں جس نے جہاں سے بھی اِس طرح کی حَرَکت کی وہ گنہگار ہے۔ اپنے لئے ''لُقَطَہ'' یعنی گِری پڑی چیز اٹھالے جانے والے پر فرض ہے کہ توبہ بھی کرے اور اِس طرح جتنے بھی جوتے چپّل یا چیزیں لی ہیں، اگر ان کے اَصْل مالِکوں یا وہ نہ رہے ہوں تو اُن کے وارِثوں تک پہنچانا ممکن نہ ہو تو وہ ساری چیزیں یا اگر وہ اشیاء باقی نہیں رہیں تو اُن کی قیمت کسی مسکین کو دیدے۔ یا ان کی قیمت مسجِد و مدرَسہ وغیرہ میں دیدے۔

(لُقَطے کے تفصیلی مسائل کیلئے بہارِ شریعت جلد 2 صَفْحہ 471 تا 484 کامُطالَعہ فرمائیے)

آہ! جو بو چکا ہوں، وَقْتِ دِرَو¹ (¹یعنی فَصل کاٹنے کا وَقْت)

ہو گا حسرت کا سامنا یا رب! (ذوقِ نعت)

صَلُّوا عَلَی الْحَبِیب ! صلَّی اللہُ تعالٰی علٰی محمَّد

اسلامی بہنوں کیلئے مَدَنی پھول

عورتیں نَماز فرود گاہ (یعنی قِیام گاہ) ہی میں پڑھیں ۔ نَمازوں کے لیے جو مسجِدَین کریمَین میں حاضِر ہوتی ہیں جہالت ہے کہ مقصود ثواب ہے اور خود پیارے سرکار، مَدَنی تاجدار صَلَّی اللہ تعالٰی علیہ واٰلہٖ وسلَّم نے فرمایا: ''عورت کو میری مسجِد (یعنی مسجدِ نَبَوی عَلٰی صَاحِبِہَا الصَّلٰوۃُ وَالسَّلام) میں نَماز پڑھنے سے زیادہ ثواب گھر میں پڑھنا ہے۔''

(مُسندِ اِمام احمد بن حنبل ج ۱۰ ص ۳۱۰ حدیث ۲۷۱۵۸)

طواف میں سات باتیں حرام ہیں

طواف اگرچہ نَفْل ہو، اُس میں یہ سات باتیں حرام ہیں:

﴿۱﴾ بے وُضو طواف کرنا ﴿۲﴾ بِغیر مجبوری ڈَولی میں یا کسی کی گود میں یا کسی کے کندھوں وغیرہ پر طواف کرنا ﴿۳﴾ بِلا عُذْر بیٹھ کر سَرَکنا یا گھٹنوں پر چلنا ﴿۴﴾ کعبے کو سیدھے ہاتھ پر لے کر اُلٹا طواف کرنا ﴿۵﴾ طواف میں ''حَطِیم'' کے اَندر ہو کر گزرنا ﴿۶﴾ سات پھیروں سے کم کرنا ﴿۷﴾ جو عُضْو سَتْر میں داخِل ہے اُس کا چوتھائی (1/4) حصّہ کُھلا ہونا، مَثَلاً ران یا آزاد عورت کا کان یا کلائی ۔ (بہارِ شریعت ج ۱ ص ۱۱۱۲)

اِسلامی بہنیں خوب اِحتِیاط کریں، دَورانِ طواف خُصُوصاً حَجَرِ اَسْوَد کا اِستِلام کرتے وَقْت کافی خواتین کی چوتھائی کلائی تو کیا بعض اَوقات پوری کلائی کُھل جاتی ہے!

(طَواف کے علاوہ بھی غیر مَحْرم کے سامنے سر کے بال یا کان یا کلائی کھولنا حرام وگناہ ہے۔ پردے کے تفصیلی اَحکام معلوم کرنے کے لیے دعوتِ اسلامی کے اِشاعَتی ادارے مکتبۃُ المدینہ کی مطبوعہ 397 صَفحات پر مشتمل کتاب، ''پردے کے بارے میں سوال جواب'' کامُطالعہ فرمائیے)

طواف کے گیارہ مکروہات

﴿۱﴾ فُضُول بات کرنا ﴿۲﴾ ذِکر و دُعا یا تِلاوت یا نعت ومناجات یا کوئی کلام بُلند آواز سے کرنا ﴿۳﴾ حمد وصلوٰۃ ومَنقبت کے سِوا کوئی شعر پڑھنا ﴿۴﴾ ناپاک کپڑوں میں طَواف کرنا۔ (مُستَعمَل چپل یا جُوتے ساتھ لئے طَواف نہ کریں اِحتیاط اِسی میں ہے) ﴿۵﴾ رَمَل یا ﴿۶﴾ اِضْطِباع یا ﴿۷﴾ بوسۂ سنگِ اَسود جہاں جہاں ان کا حکم ہے ترک کرنا ﴿۸﴾ طَواف کے پھیروں میں زِیادہ فاصِلہ دینا۔ ہاں ضَرورت ہو تو اِستنجا کے لیے جاسکتے ہیں، وُضو کر کے باقی پورا کر لیجئے ﴿۹﴾ ایک طَواف کے بعد جب تک اُس کی دو رَکعتیں نہ پڑھ لیں دوسرا طَواف شُروع کردینا۔ ہاں اگر مکروہ وَقت ہو تو حَرَج نہیں۔ مَثَلاً صُبحِ صادِق سے لے کر سورج بُلند ہونے تک یا بعدِ نَمازِ عَصر سے غُروبِ آفتاب تک کہ اِس میں کئی طَواف بِغیر ''نَمازِ طَواف'' جائز ہیں البتّہ مکروہ وَقت گزر جانے کے بعد ہر طَواف کے لئے دو دو رَکعت ادا کرنی ہوں گی ﴿۱۰﴾ طَواف میں کچھ کھانا ﴿۱۱﴾ پیشاب یا رِیح وغیرہ کی شدّت ہوتے

ہوئے طواف کرنا۔ (بہارِشریعت ج۱ ص۱۱۱۳، اَلْمَسْلَکُ الْمُتَقَسِّط لِلقاری ص ١٦٥)

طواف و سعی میں یہ سات کام جائز ہیں

﴿۱﴾ سلام کرنا ﴿۲﴾ جواب دینا ﴿۳﴾ ضرورت کے وَقت بات کرنا ﴿٤﴾ پانی پینا (سعی میں کھا بھی سکتے ہیں) ﴿٥﴾ حمد و نعت یا مَنقَبت کے اَشعار آہستہ آہستہ پڑھنا ﴿٦﴾ دَورانِ طواف نمازی کے آگے سے گزرنا جائز ہے کہ طواف بھی نماز ہی کی طرح ہے مگر سعی کے دَوران گزرنا جائز نہیں ﴿۷﴾ فتویٰ پوچھنا یا فتویٰ دینا۔ (اَیضاً ص۱۱۱٤، اَلْمَسْلَکُ الْمُتَقَسِّط ص ١٦٢)

سعی کے 10 مکروہات

﴿۱﴾ بِغیر ضَرورت اِس کے پھیروں میں زِیادہ فاصِلہ (وقفہ۔دُوری) دینا۔ ہاں قَضائے حاجت یا تجدیدِ وُضو کے لئے جاسکتے ہیں (سعی میں وُضو ضَروری نہیں، مُستَحب ہے) ﴿2﴾ خرید و ﴿3﴾ فروخت ﴿4﴾ فُضول کلام ﴿5﴾ ''پریشان نظری'' یعنی اِدھر اُدھر فُضول دیکھنا سعی میں بھی مکروہ ہے اور طواف میں اور زِیادہ مکروہ ﴿6﴾ صَفا، یا ﴿7﴾ مَروَہ پر نہ چڑھنا (معمولی سا چڑھیے اوپر تک نہیں) ﴿8﴾ بِغیر مجبوری مَرد کا ''مَسْعٰی'' میں نہ دوڑنا ﴿9﴾ طواف کے بعد بَہُت تاخیر سے سعی کرنا ﴿10﴾ سَترِ عورت نہ ہونا۔ (بہارِشریعت ج۱ ص۱۱۱۵)

سعی کے چار متفرق مدنی پھول

﴿۱﴾ سعی میں پیدل چلنا واجب ہے جبکہ عُذر نہ ہو (بلا عُذر سُواری پر یا گھسٹ کر کی تو دَم واجِب ہوگا) (لُبابُ الْمَناسِك ص ۱۷۸)

﴿۲﴾ سعی کے لئے طَہارت شرط نہیں حَیض و نفاس والی بھی کرسکتی ہے (عالمگیری ج۱ ص۲۴۷) ﴿۳﴾ جسم ولباس پاک ہوں اور باوُضو بھی ہوں یہ مُستَحَب ہے۔ (بہارِ شریعت ج۱ ص۱۱۱۰) ﴿۴﴾ سعی شروع کرتے وَقت پہلے صَفا کی دُعا پڑھئے پھر سعی کی نیّت کیجئے۔ سعی کے مُتَعَدِّد اَفعال ہیں، جیسا کہ حَجَرِ اَسوَد کا اِستِلام، صَفا پر چڑھنا، دُعا مانگنا وغیرہ ان سب پر نیّتیں کرلے تو اچّھا ہے، کم از کم دل میں یہ نیّت ہونا بھی کافی ہے حُصُولِ ثواب کیلئے اصل سعی سے پہلے کے اَفعال کر رہا ہوں۔

اسلامی بہنوں کیلئے خاص تاکید

اِسلامی بہنیں یہاں بھی اور ہر جگہ مَردوں سے الگ تھلگ رہیں۔ اَکثر نادان عورتیں ''حَجَرِ اَسوَد'' اور رُکنِ یَمانی کو چُومنے کے لیے یا کعبۃ اللہ شریف کے قریب جانے کے لئے بے دَھڑک مَردوں میں جا گُھستی ہیں۔ توبہ! توبہ! یہ سَخت بے باکی ہے۔ اسلامی بہنوں کیلئے ٹھیک دوپہر کے وَقت مَثلاً دن کے 10 بجے طَواف کرنا مناسِب ہے کہ اُس وَقت بھیڑ کم ہوتی ہے۔

صَلُّوا عَلَی الْحَبِیب ! صَلَّی اللّٰہُ تعالٰی علٰی محمَّد

صَلُّوا عَلَی الْحَبِیب ! صلَّی اللّٰہُ تعالٰی علٰی محمَّد

مدینہ میں ننگے پاؤں رہنے کی قرآنی دلیل

اور یہاں ننگے پاؤں رہنا کوئی خلافِ شَرع فعل بھی نہیں بلکہ مقدّس سر زمین کا سَراسَر ادب ہے۔ چُنانچِہ حضرتِ سیِّدُ ناموسیٰ کلیمُ اللّٰہ علٰی نَبِیِّنا وَعَلَیْہِ الصَّلٰوۃُ وَالسَّلام نے اپنے ربّ عَزَّوَجَلَّ سے ہم کلامی کاشَرَف حاصل کیا تو اللّٰہ عَزَّوَجَلَّ نے ارشادفرمایا:

فَاخْلَعْ نَعْلَیْکَ ۚ اِنَّکَ بِالْوَادِ الْمُقَدَّسِ طُوًی ﴿۱۲﴾ (پ۱۶طٰہٰ:۱۲)

ترجَمۂ کنزالایمان: تواپنے جُوتے اُتارڈال، بیشک تُو پاک جنگل طُویٰ میں ہے۔

سُبْحٰنَ اللّٰہ عَزَّوَجَلَّ! جب طورِ سینا کی مقدّس وادی میں سیِّدُ ناموسیٰ کلیمُ اللّٰہ علٰی نَبِیِّنا وَعَلَیْہِ الصَّلٰوۃُ وَالسَّلام کو خود اللّٰہ تَبارَکَ وَتَعالٰی جُوتے اُتار لینے کاحُکم فرمائے تو مدینہ تو پھر مدینہ ہے، یہاں اگر ننگے پاؤں رہا جائے تو کیوں سَعادت کی بات نہ ہوگی! کروڑوں مالکیوں کے پیشوااور مشہور عاشقِ رسول حضرتِ سیِّدُ ناامام مالِک رضی اللّٰہ تعالٰی عنہ مدینۂ پاک زادَھَا اللّٰہُ شَرَفاً وَّ تَعْظِیْماً کی گلیوں میں ننگے پیر چلا کرتے تھے۔(الطبقاتُ الکُبریٰ لِلشعرانی الجزء الاول ص ۷۶) آپ رَحْمَۃُ اللّٰہِ تعالٰی علیہ مدینۂ منوَّرہ زادَھَا اللّٰہُ شَرَفاً وَّ تَعْظِیْماً میں کبھی گھوڑے پرسُوار نہ ہوتے، فرماتے ہیں: مجھے اللّٰہ

عَزَّوَجَلَّ سے حیا آتی ہے کہ اُس مبارَک زمین کو اپنے گھوڑے کے قدموں تلے رَوندوں جس میں اُس کے پیارے محبوب صَلَّی اللہ تعالٰی علیہ واٰلہٖ وسلَّم موجود ہیں ۔ (یعنی آپ صَلَّی اللہ تعالٰی علیہ واٰلہٖ وسلَّم کا رَوْضَہ انور ہے) (اِحیاءُ العلوم ج ۱ ص ۴۸)

اے خاکِ مدینہ! تُو ہی بتا میں کیسے پاؤں رکھوں یہاں
تُو خاکِ پا سرکار کی ہے آنکھوں سے لگائی جاتی ہے

مدینہ ۱: حاضِری کی تیاری

حاضِریٔ رَوْضَۂ رسول صَلَّی اللہ تعالٰی علیہ واٰلہٖ وسلَّم سے پہلے مکان وغیرہ کا بندوبست کر لیجئے ، حاجت ہو تو کھا پی لیجئے ، اَلغَرَض ہر وہ بات جو خُشُوع وخُضُوع میں مانِع ہو اُس سے فارِغ ہو لیجئے ۔ اب تازہ وُضو کیجئے اِس میں مِسواک ضَرور ہو بلکہ بہتر یہ ہے کہ غُسل کر لیجئے ، دُھلے ہوئے کپڑے بلکہ ہو سکے تو نیا سفید لباس ، نیا عمامہ شریف وغیرہ زیبِ تن کیجئے ، سُرمہ اور خوشبو لگا لیجئے اور مُشک افضل ہے ، اب روتے ہوئے دَربار کی طرف بڑھئے۔ (بہارِ شریعت ج ۱ ص ۱۲۲۳ ماخوذاً)

مدینہ ۱: اے لیجئے! سبز گنبد آگیا

اے لیجئے! وہ سبز سبز گُنبد جسے آپ نے تصویروں میں دیکھا تھا ، خیالوں میں چُوما تھا اب سچ مُچ آپ کی آنکھوں کے سامنے ہے۔

اَشکوں کے موتی اب نچھاوَر زائرو کرو وہ سبز گُنْبد مَنْبَعِ اَنوار آ گیا

اب سَر جھکائے بااَدب پڑھتے ہوئے دُرُود

روتے ہوئے آگے بڑھو دربار آ گیا (وسائلِ بخشش ص ۴۷۳)

ہاں! ہاں! یہ وُہی سبز گُنْبد ہے جس کے دیدار کے لئے عاشقانِ رسول کے دِل بے قرار رہتے اور آنکھیں اَشکبار ہو جایا کرتی ہیں، خُدا عَزَّوَجَلَّ کی قسم! **رَوْضَۂ رَسولُ الله** صَلَّی اللہ تعالٰی علیہ واٰلہٖ وسلَّم سے عظیم جگہ دُنیا کے کسی مَقام میں تو کُجا جنَّت میں بھی نہیں ہے۔

فِردَوس کی بُلندی بھی چُھو سکے نہ اِس کو

خُلْدِ بریں سے اُونچا میٹھے نبی کا رَوضہ (وسائلِ بخشش ص ۲۹۸)

دعوتِ اسلامی کے اشاعتی ادارے مکتبۃُ الْمدینہ کی مطبوعہ کتاب ''وسائلِ بخشش'' کے صَفْحَہ 298 کے حاشیے میں ہے: رَوْضَہ کے لفظی معنیٰ ہیں: باغ۔ شِعْر میں رَوْضَہ سے مُراد وہ حصّہ زمین ہے جس پر رَحْمتِ عالم صَلَّی اللہ تعالٰی علیہ واٰلہٖ وسلَّم کا جِسْمِ معظّم تشریف فرما ہے۔ اس کی فضیلت بیان کرتے ہوئے فُقَہائے کرام رَحِمَھُمُ اللہُ السَّلام فرماتے ہیں: مَحبوبِ داور صَلَّی اللہ تعالٰی علیہ واٰلہٖ وسلَّم کے جِسْمِ انور سے زمین کا جو حصّہ لگا ہوا ہے۔ وہ کعبہ شریف سے بلکہ عرش و کرسی سے بھی افضل ہے۔

(دُرِّمُختَار ج ٤ ص ٦٢)

ہوسکے تو بابُ البقیع سے حاضِر ہوں مدینہ

اب سَراپا ادب و ہوش بنے، آنسو بہاتے یا رونا نہ آئے تو کم از کم رونے جیسی صورت بنائے بابِ بقیعؔ[1] پر حاضِر ہوں۔ "اَلصَّلٰوۃُ وَالسَّلَامُ عَلَیْکَ یَا رَسُوْلَ اللّٰہ" عَرض کر کے ذرا ٹھہر جایئے۔ گویا سرکارِ ذِی وَقار صَلَّی اللہ تعالٰی علیہ والہٖ وسلَّم کے شاہی دَربار میں حاضِری کی اِجازت مانگ رہے ہیں۔ اب بِسْمِ اللّٰہِ الرَّحْمٰنِ الرَّحِیْم کہہ کر اپنا سیدھا قدم مسجد شریف میں رکھئے اور ہمہ تن ادب ہو کر داخلِ مسجدِ نبوی عَلٰی صَاحِبِہَا الصَّلٰوۃُ وَالسَّلَام ہوں اِس وَقت جو تعظیم وادب فرض ہے وہ ہر عاشِقِ رسول کا دِل جانتا ہے۔ ہاتھ، پاؤں، آنکھ، کان، زَبان، دِل سب خَیالِ غیر سے پاک کیجئے اور روتے ہوئے آگے بڑھیئے، نہ اِدھر اُدھر نظریں گھمائیے، نہ ہی مسجِد کے نَقش ونِگار دیکھئے، بس ایک ہی تڑپ، ایک ہی لگن اور ایک ہی خَیال ہو کہ بھاگا ہوا مُجرِم اپنے آقا صَلَّی اللہ تعالٰی علیہ والہٖ وسلَّم کی بارگاہِ بے کس پناہ میں پیش ہونے کے لئے چلا ہے۔

---

[1] یہ مسجدِ نبوی عَلٰی صَاحِبِہَا الصَّلٰوۃُ وَالسَّلَام کے جانِبِ مشرِق واقع ہے۔ عُموماً دربان بابِ بقیع سے حاضِری کے لئے نہیں جانے دیتے لہٰذا لوگ بابُ السلام ہی سے حاضِر ہوتے ہیں اس طرح حاضِری کی ابتِداءِ سَرِ اقدس سے ہوگی اور یہ خلافِ ادب ہے کیونکہ بُزُرگوں کی خدمت میں قدموں کی طرف سے آنا ہی ادب ہے۔ اگر بابِ بقیع سے حاضِری نہ ہو سکے تو بابُ السلام سے بھی حَرَج نہیں۔ اگر بھیڑ وغیرہ نہ ہو تو کوشش کیجئے کہ بابِ بقیع سے حاضِری ہو جائے۔

چلا ہوں ایک مُجرِم کی طرح میں جانبِ آقا

نَظَر شرمندہ شرمندہ، بدن لرزیدہ لرزیدہ

نمازِ شکرانہ اب اگر مکروہ وَقْت نہ ہو اور غَلَبہ شوق مُہلَت دے تو دو دو رَکعَت تَحِیَّۃُ الْمَسْجِد و شکرانہ بارگاہِ اَقدس ادا کیجئے، پہلی رَکْعَت میں الحمد شریف کے بعد قُلْ یٰٓاَیُّھَا الْکٰفِرُوْن اور دوسری میں الحمد شریف کے بعد قُلْ ھُوَاللّٰہ شریف پڑھئے۔

سُنَہری جالیوں کے رُوبَرُو اب ادب وشوق میں ڈوبے، گردن جُھکائے، آنکھیں نیچی کیے، رونے والی صورت بنائے بلکہ خود کو بزور رونے پر لاتے، آنسو بہاتے، تھرتھراتے، کپکپاتے، گناہوں کی نَدامت سے پسینہ پسینہ ہوتے، سرکارِ نامدار صَلَّی اللّٰہ تعالٰی علیہ والہٖ وسلَّم کے فَضْل وکَرَم کی اُمّید رکھتے، آپ صَلَّی اللّٰہ تعالٰی علیہ والہٖ وسلَّم کے قَدَمَینِ شَرِیفَین[1] کی طرف سے سُنَہری جالیوں کے رُوبَرُو مواجَھَہ (مُوا۔جَ۔ھَہ) شریف میں (یعنی چہرہ مبارَک کے سامنے) حاضِر ہوں کہ سرکارِ مدینہ، راحتِ قلب وسینہ صَلَّی اللّٰہ تعالٰی علیہ والہٖ وسلَّم اپنے مزارِ پُر اَنوار میں رُو بَقِبلہ جلوہ اَفروز ہیں، مُبارَک

---

[1] بابُ الْبقیع سے حاضِری ملی تو پہلے قَدَمین شریفین آئیں گے اور بابُ السّلام سے آئے تو پہلے سرِ اقدس آئے گا۔

قدموں کی طرف سے حاضِر ہوں گے تو سرکارِ دوجہاں صَلَّی اللہ تعالٰی علیہ والہٖ وسلَّم کی نِگاہِ بے کس پناہ براہِ راست آپ کی طرف ہوگی اور یہ بات آپ کیلئے دونوں جہاں میں کافی ہے۔ وَالْحَمْدُ لِلّٰہ۔ (بہارِ شریعت ج ۱ ص ۱۲۲۴)

مُواجَھہ شریف پر حاضِری[1]

اب سَراپا ادب بنے زِیرِ قِندِیل اُن چاندی کی کِیلوں کے سامنے جو سُنہری جالیوں کے دروازۂ مُبارَکہ میں اُوپر کی طرف جانبِ مشرِق لگی ہوئی ہیں، قِبلے کو پیٹھ کئے کم از کم چار ہاتھ (یعنی تقریباً دو گز) دُور نَماز کی طرح ہاتھ باندھ کر سرکارِ نامدار صَلَّی اللہ تعالٰی علیہ والہٖ وسلَّم کے چہرۂ پُر اَنوار کی طرف رُخ کر کے کھڑے ہوں کہ ''فتاویٰ عالمگیری'' وغیرہ میں یہی ادب لکھا ہے کہ **یَقِفُ کَمَا یَقِفُ فِی الصَّلٰوۃ** یعنی ''سرکارِ مدینہ صَلَّی اللہ تعالٰی علیہ والہٖ وسلَّم کے دَربار میں اِس طرح کھڑا ہو جس طرح نَماز میں کھڑا ہوتا ہے۔'' یقین مانئے! سرکارِ ذی وقار صَلَّی اللہ تعالٰی علیہ والہٖ وسلَّم اپنے مزارِ فائضُ الْاَنوار میں سچّی حقیقی دنیاوی جسمانی حیات سے اُسی طرح زندہ ہیں جس طرح وفات شریف سے پہلے تھے اور آپ کو بھی دیکھ رہے ہیں بلکہ آپ کے دِل

---

[1] لوگ عُموماً بڑے سوراخ کو ''مُواجَھہ شریف'' سمجھتے ہیں بلکہ اکثر اردو کتابوں میں بھی یہی لکھا ہے مگر رفیقُ الحرمین میں اعلیٰ حضرت رحمۃُ اللہ تعالٰی علیہ کی تحقیق کے مطابق مُواجَھہ شریف کی نشاندہی کی گئی ہے۔

میں جو خَیالات آ رہے ہیں اُن پر بھی مُطَّلع (یعنی باخبر) ہیں۔ خبردار! جالی مُبارَک کو بوسہ دینے یا ہاتھ لگانے سے بچئے کہ یہ خِلافِ اَدَب ہے، ہمارے ہاتھ اِس قابل ہی نہیں کہ جالی مُبارَک کو چُھو سکیں، لہٰذا چار ہاتھ (یعنی تقریباً دو گز) دُور رہئے، یہ ان کی رَحمت کیا کم ہے کہ آپ کو اپنے مُواجَھہ اَقدس کے قریب بُلایا! سرکارِ نامدار صَلَّی اللہ تعالٰی علیہ واٰلہٖ وسلَّم کی نِگاہِ کرم اگرچہ ہر جگہ آپ کی طرف تھی، اب خُصُوصِیَّت اور اِس دَرَجۂ قُرب کے ساتھ آپ کی طرف ہے۔ (بہارِ شریعت ج ا ص ۱۲۲۴، ۱۲۲۵)

دِیدار کے قابل تو کہاں میری نَظَر ہے
یہ تیری عنایت ہے جو رُخ تیرا اِدھر ہے

بارگاہ رسالت صلی اللہ علیہ وسلم میں سلام عرض کیجئے

اب ادب اور شوق کے ساتھ غمگین اور دَرْد بھری آواز میں مگر آواز اتنی بُلند اور سَخْت نہ ہو کہ سارے اعمال ہی ضائع ہو جائیں، نہ بالکل ہی پَست (یعنی دِھیمی) کہ یہ بھی سُنَّت کے خِلاف ہے، مُعتَدِل (یعنی درمیانی) آواز میں اِن الفاظ کے ساتھ سلام عَرْض کیجئے:

اَلسَّلَامُ عَلَيْكَ اَيُّهَا النَّبِيُّ وَرَحْمَةُ اللهِ

ترجمہ: اے نبی صَلَّی اللہ تعالٰی علیہ واٰلہٖ وسلَّم آپ پر سلام اور **اللہ** عَزَّوَجَلَّ کی رَحمتیں

وَبَرَكَاتُهٗ ؕ اَلسَّلَامُ عَلَيْكَ يَا رَسُوْلَ اللّٰهِ ؕ

اور برکتیں۔ اے **اللہ** عَزَّوَجَلَّ کے رسول صَلَّی اللہ تعالیٰ علیہ والہٖ وسلّم آپ پر سلام۔

اَلسَّلَامُ عَلَيْكَ يَا خَيْرَ خَلْقِ اللّٰهِ ؕ اَلسَّلَامُ

اے **اللہ** عَزَّوَجَلَّ کی تمام مخلوق سے بہتر آپ پر سلام۔

عَلَيْكَ يَا شَفِيْعَ الْمُذْنِبِيْنَ ؕ اَلسَّلَامُ عَلَيْكَ

اے گنہگاروں کی شَفاعت کرنے والے آپ پر سلام، آپ پر،

وَعَلٰى اٰلِكَ وَاَصْحٰبِكَ وَاُمَّتِكَ اَجْمَعِيْنَ ؕ

آپ کی آل و اصحاب پر اور آپ کی تمام اُمّت پر سلام۔

جہاں تک زبان ساتھ دے، دِل جَمعی ہو مختلف اَلقاب کے ساتھ سلام عَرض کرتے رہیے، اگر اَلقاب یاد نہ ہوں تو **اَلصَّلٰوۃُ وَالسَّلَامُ عَلَيْكَ يَا رَسُوْلَ اللّٰه** کی تکرار کرتے (یعنی یِہی بار بار پڑھتے) رہیے۔ جن جن لوگوں نے آپ کوسلام کے لئے کہا ہے اُن کا بھی سلام عَرض کیجئے، جو جو عاشِقانِ رسول یہ تحریر پڑھیں وہ مجھ سگِ مدینہ عُفِیَ عَنہ کا سلام عرض کر دیں تو مجھ گنہگاروں کے سردار پر اِحسانِ عظیم ہوگا۔ یہاں خوب دُعائیں مانگئے اور بار بار اِس طرح شَفاعت کی بھیک طلب

کیجئے:

اَسْئَلُکَ الشَّفَاعَۃَ یَا رَسُوْلَ اللہ صَلَّی اللہ تعالیٰ علیہ والہٖ وسلَّم یعنی یا رسول اللہ صَلَّی اللہ تعالیٰ علیہ والہٖ وسلَّم! میں آپ سے شَفاعت کا سُوال کرتا ہوں۔

صدیق اکبر رضی اللہ تعالیٰ عنہ کی خدمت میں سلام

پھر مشرِق کی جانب (اپنے سیدھے ہاتھ کی طرف) آدھے گز کے قریب ہٹ کر (قریبی چھوٹے سوراخ کی طرف) حضرتِ سیِّدُ ناصِدّیقِ اکبر رضی اللہ تعالیٰ عنہ کے چِہرۂ اَنور کے سامنے دَست بَستہ (یعنی اُسی طرح ہاتھ باندھ کر) کھڑے ہو کر اُن کو سلام پیش کیجئے، بہتر یہ ہے کہ اِس طرح سلام عَرض کیجئے:

اَلسَّلَامُ عَلَیْکَ یَا خَلِیْفَۃَ رَسُوْلِ اللہِ ط

اے خلیفۂ رَسُول اللہ! آپ پر سلام،

اَلسَّلَامُ عَلَیْکَ یَا وَزِیْرَ رَسُوْلِ اللہِ ط

اے رسولُ اللہ صَلَّی اللہ تعالیٰ علیہ والہٖ وسلَّم کے وزیر آپ پر سلام،

اَلسَّلَامُ عَلَیْکَ یَا صَاحِبَ رَسُوْلِ

اے غارِ ثور میں رسولُ اللہ صَلَّی اللہ تعالیٰ علیہ والہٖ وسلَّم کے رفیق!

اللّٰہِ فِی الْغَارِ وَرَحْمَۃُ اللّٰہِ وَبَرَکَاتُہٗ ؕ

آپ پر سلام اور اللہ عزّوجلّ کی رَحمتیں اور برکتیں۔

فاروقِ اعظم رضی اللہ تعالٰی عنہ کی خدمت میں سلام (مدینہ)

پھر اِتنا ہی مزید جانبِ مشرِق (اپنے سیدھے ہاتھ کی طرف) تھوڑا سا سَرَک کر (آخری سوراخ کے سامنے) حضرتِ سیِّدُنا فاروقِ اعظم رضی اللہ تعالٰی عنہ کے رُوبرُو عَرض کیجئے:

اَلسَّلَامُ عَلَیْكَ یَا اَمِیْرَ الْمُؤْمِنِیْنَ ؕ اَلسَّلَامُ

اے امیرُ المُؤمِنین! آپ پر سلام،

عَلَیْكَ یَا مُتَمِّمَ الْاَرْبَعِیْنَ ؕ اَلسَّلَامُ عَلَیْكَ

اے چالیس کا عدد پورا کرنے والے! آپ پر سلام،

یَا عِزَّ الْاِسْلَامِ وَالْمُسْلِمِیْنَ وَرَحْمَۃُ اللّٰہِ وَبَرَکَاتُہٗ ؕ

اے اسلام و مسلمین کی عزّت! آپ پر سلام اور اللہ عزّوجلّ کی رَحمتیں اور بَرَکتیں۔

دوبارہ ایک ساتھ شیخین رضی اللہ تعالٰی عنہما کی خدمتوں میں سلام (مدینہ)

پھر بالشت بھر جانبِ مغرِب یعنی اپنے اُلٹے ہاتھ کی طرف سَرَک کئے اور دونوں چھوٹے سُوراخوں کے بیچ میں کھڑے ہوکر ایک ساتھ سیِّدُنا صدِّیقِ

اکبر و فاروقِ اعظم رضی اللہ تعالٰی عنہما کی خدمتوں میں اِس طرح سلام عَرض کیجئے:

اَلسَّلَامُ عَلَيْكُمَا يَا خَلِيْفَتَيْ رَسُوْلِ اللهِ ؕ اَلسَّلَامُ

اے رسولُ اللہ صلَّی اللہ تعالٰی علیہ واٰلہٖ وسلَّم کے خُلَفاء! آپ دونوں پر سلام،

عَلَيْكُمَا يَا وَزِيْرَيْ رَسُوْلِ اللهِ ؕ اَلسَّلَامُ عَلَيْكُمَا

اے رسولُ اللہ صلَّی اللہ تعالٰی علیہ واٰلہٖ وسلَّم کے وُزَراء! آپ دونوں پر سلام، اے رسولُ اللہ

يَا ضَجِيْعَيْ رَسُوْلِ اللهِ وَرَحْمَةُ اللهِ وَبَرَكَاتُهٗ ؕ

صلَّی اللہ تعالٰی علیہ واٰلہٖ وسلَّم کے پہلو میں آرام فرمانے والے! (ابوبکر و عمر رضی اللہ تعالٰی عنہما) آپ دونوں پر سلام ہو

اَسْئَلُكُمَا الشَّفَاعَةَ عِنْدَ رَسُوْلِ اللهِ صَلَّى

اور اللہ عَزَّوَجَلَّ کی رَحمتیں اور بَرکتیں۔ آپ دونوں صاحِبان سے سُوال کرتا ہوں کہ رسولُ اللہ صلَّی اللہ تعالٰی علیہ

اللهُ تَعَالٰى عَلَيْهِ وَعَلَيْكُمَا وَبَارَكَ وَسَلَّمَ ؕ

واٰلہٖ وسلَّم کے حُضُور میری سِفارش کیجئے، اللہ عَزَّوَجَلَّ اُن پر اور آپ دونوں پر دُرُود و بَرَکت اور سلام نازِل فرمائے۔

یہ دُعائیں مانگئے! مدینہ

یہ تمام حاضِریاں قَبولیّتِ دُعا کے مَقامات ہیں، یہاں دنیا و آخرت کی بھلائیاں مانگئے۔ اپنے والِدَین، پیر و مُرشِد، اُستاد، اَولاد، اہلِ خاندان، دوست و اَحباب اور تمام اُمّت

کے لئے دُعائے مغفِرت کیجئے اور شَہَنْشاہِ رسالت صَلَّی اللّٰہ تعالیٰ علیہ واٰلہٖ وسلَّم کی شَفاعت کی بھیک مانگئے، خُصوصاً مُواجَھَہ شریف میں نعتیہ اَشعار عَرْض کیجئے، اگر نیچے دیا ہوا مَقطع یہاں سگِ مدینہ عُفِیَ عَنہ کی طرف سے 12 بار عرض کردیں تو اِحسانِ عظیم ہوگا:

پڑوسی خُلد میں عطّار کو اپنا بنالیجے
جہاں ہیں اِتنے اِحساں اور اِحساں یارَسُوْلَ اللّٰہ

"مَدِیْنَۃُ الْمُنَوَّرَہ" کے بارہ حُرُوف کی نسبت سے بارگاہِ رسالت میں حاضِری کے 12 مَدَنی پھول

﴿١﴾ مِنْبَرِ اطہر کے قریب دُعا مانگئے ﴿٢﴾ جنّت کی کیاری میں (یعنی جو جگہ مِنْبَرو حُجرۂ منوَّرہ کے درمیان ہے، اسے حدیث میں "جنّت کی کیاری" فرمایا) آکر دو رَکْعت نَفْل غیرِ وَقْتِ مکروہ میں پڑھ کر دُعا کیجئے ﴿٣﴾ جب تک مدینۂ طَیِّبہ زادَھَا اللّٰہُ شَرَفاً وَّ تَعْظِیْماً کی حاضِری نصیب ہو، ایک سانس بیکار نہ جانے دیجئے ﴿٤﴾ ضَروریات کے سوا اکثر وَقْت مسجِدُالنَّبَوِیِّ الشَّرِیف عَلٰی صَاحِبِہَا الصَّلٰوۃُ وَالسَّلام میں باطہارت حاضِر رہئے، نَماز وتِلاوت وذِکرودُرُود میں وَقْت گزاریئے، دنیا کی بات تو کسی بھی مسجِد میں نہ چاہیے نہ کہ یہاں ﴿٥﴾ مدینۂ طَیِّبہ زادَھَا اللّٰہُ شَرَفاً وَّ تَعْظِیْماً میں روزہ نصیب ہو خُصوصاً گرمی میں تو کیا کہنا کہ اس پر وعدۂ شَفاعت ہے ﴿٦﴾ یہاں ہر

نیکی ایک کی پچاس ہزار لکھی جاتی ہے، لہٰذا عبادت میں زیادہ کوشش کیجئے، کھانے پینے کی کمی ضَرور کیجئے اور جہاں تک ہو سکے تصدُّق (یعنی خیرات) کیجئے خُصُوصاً یہاں والوں پر ﴿۷﴾ قرانِ مجید کا کم سے کم ایک خَتْم یہاں اور ایک حَطِیم کعبۂ معظّمہ میں کر لیجئے ﴿۸﴾ روضۂ انور پرنَظَر عبادت ہے جیسے کعبۂ معظّمہ یا قرانِ مجید کا دیکھنا تو ادب کے ساتھ اِس کی کثرت کیجئے اور دُرُود و سلام عَرْض کیجئے ﴿۹﴾ پنجگانہ یا کم از کم صُبْح، شام مُواجَہہ شریف میں عَرْضِ سلام کے لیے حاضِر ہوں ﴿۱۰﴾ شَہْر میں خواہ شَہْر سے باہَر جہاں کہیں گُنْبَدِ مبارَک پر نَظَر پڑے، فوراً دست بستہ اُدھر منہ کر کے صلوٰۃ و سلام عرض کیجئے، بے اِس کے ہرگز نہ گزریئے کہ خلافِ ادب ہے ﴿۱۱﴾ حتَّی الْوَسْع کوشِش کیجئے کہ **مسجد اوّل** یعنی حُضُورِ اقدس صَلَّی اللہ تعالٰی علیہ والہٖ وسلَّم کے زمانے میں جتنی تھی اُس میں نَماز پڑھئے اور اُس کی مِقدار **100** ہاتھ طُول (لمبائی) اور100 ہاتھ عرض (چوڑائی) (یعنی تقریباً 50×50 گز) ہے اگرچِہ بعد میں کچھ اضافہ ہوا ہے، اُس (یعنی اضافہ شدہ حصّے) میں نَماز پڑھنا بھی **مسجدُ النَّبَوِیِّ الشَّریف** عَلٰی صَاحِبِہَا الصَّلٰوۃُ وَالسَّلام ہی میں پڑھنا ہے ﴿۱۲﴾ رَوْضَۂ انور کا نہ طَواف کیجئے، نہ سجدہ، نہ اتنا جُھکنا کہ رُکوع کے برابر ہو۔ رسولُ اللہ صَلَّی اللہ تعالٰی علیہ والہٖ وسلَّم کی تعظیم اُن کی اِطاعت میں ہے۔ (ماخوذ اَز بہارِ شریعت ج اول ص ۱۲۲۷ تا ۱۲۲۸)

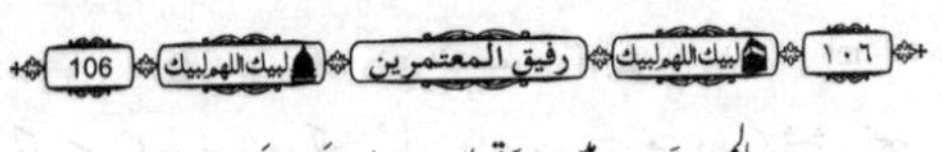

عالَمِ وَجد میں رَقصاں مِرا پَر پَر ہوتا
کاش! میں گُنْبَدِ خضرا کا کبوتر ہوتا

جالی مُبارَک کے رُوبرو پڑھنے کاوِرد

جوکوئی حُضُورِ اَکرم نورِ مُجَسَّم صَلَّی اللہ تعالٰی علیہ والہٖ وسلَّم کی قَبرِ مُعَظَّم کے رُوبرُو کھڑا ہوکر یہ آیت شریفہ **ایک بار** پڑھے:

﴿اِنَّ اللّٰہَ وَ مَلٰٓئِکَتَہٗ یُصَلُّوۡنَ عَلَی النَّبِیِّ ؕ یٰۤاَیُّہَا الَّذِیۡنَ اٰمَنُوۡا صَلُّوۡا عَلَیۡہِ وَسَلِّمُوۡا تَسۡلِیۡمًا ﴿۵۶﴾﴾ پھر **70** مرتبہ یہ عرض کرے: صَلَّی اللّٰہُ عَلَیْکَ وَسَلَّمَ یَارَسُوْلَ اللّٰہِ فِرِشتہ اِس کے جواب میں یوں کہتا ہے: اے فُلاں! تجھ پر **اللہ** عَزَّوَجَلَّ کا سلام ہو۔ پھر فِرِشتہ اُس کے لئے دُعا کرتا ہے: **یااللہ** عَزَّوَجَلَّ! اِس کی کوئی حاجت ایسی نہ رہے جس میں یہ ناکام ہو۔ (اَلْمَواھِبُ اللَّدُنِّیَۃ ج۳ص۴۱۲)

دُعا کیلئے جالی مُبارک کو پیٹھ مت کیجئے

جب جب سُنہری جالیوں کے رُو برو حاضِری کی سعادت ملے اِدھر اُدھر ہرگز نہ دیکھئے اور خاص کر جالی شریف کے اندر جھانکنا تو بَہُت بڑی جُرأت (جُر۔اَت) ہے۔ قبلے کی طرف پیٹھ کیے کم از کم چار ہاتھ (یعنی تقریباً دوگز) جالی

مُبارَک سے دُور کھڑے رہئے اور مُواجَھہ شریف کی طرف رُخ کر کے سلام عرض کیجئے، دُعا بھی مُواجَھہ شریف ہی کی طرف رُخ کئے مانگئے۔ بعض لوگ وہاں دُعا مانگنے کے لئے کعبے کی طرف مُنہ کرنے کو کہتے ہیں، اُن کی باتوں میں آکر ہرگز ہرگز سُنہری جالیوں کی طرف آقا صَلَّی اللہ تعالٰی علیہ واٰلہٖ وسلَّم کو یعنی کعبے کے کعبے کو پیٹھ مت کیجئے۔

کعبے کی عظمتوں کا مُنکِر نہیں ہوں لیکن

کعبے کا بھی ہے کعبہ میٹھے نبی کا روضہ (وسائلِ بخشش ص ۲۹۸)

پچاس ہزار اِعتِکاف کا ثواب

جب جب آپ مسجِدُ النَّبَوِیِّ الشَّریف عَلٰی صَاحِبِہَا الصَّلٰوۃُ وَالسَّلام میں داخِل ہوں تو اِعتِکاف کی نیّت کرنا نہ بھولئے، اِس طرح ہر بار آپ کو "پچاس ہزار نفلی اِعتِکاف" کا ثواب ملے گا اور ضِمناً کھانا، پینا، اِفطار کرنا وغیرہ بھی جائز ہو جائے گا۔ اِعتِکاف کی نیّت اِس طرح کیجئے:

نَوَیْتُ سُنَّتَ الْاِعْتِکَافِ[1] ترجَمہ: میں نے سُنَّتِ اِعتِکاف کی نیّت کی۔

---

[1] بابُ السّلام اور بابُ الرَّحمۃ سے مسجِد نبوی عَلٰی صَاحِبِہَا الصَّلٰوۃُ وَالسَّلام میں داخِل ہوں تو سامنے والے سُتون مبارک پر غور سے دیکھیں گے تو سُنہری حرفوں سے "نَوَیْتُ سُنَّتَ الْاِعْتِکَاف" اُبھرا ہوا نظر آئے گا جو کہ عاشِقانِ رسول کی یاد دہانی کے لئے ہے۔

روزانہ پانچ حج کا ثواب

خُصوصاً چالیس نَمازیں بلکہ تمام فرض نَمازیں مسجِدُ النَّبَوِیِّ الشَّریف عَلٰی صَاحِبِہَا الصَّلٰوۃُ وَالسَّلام ہی میں ادا کیجئے کہ تاجدارِ مدینہ، راحتِ قلب وسینہ صَلَّی اللہ تعالٰی علیہ واٰلہٖ وسلَّم کا فرمانِ عالیشان ہے: ''جو شَخْص وُضو کر کے میری مسجِد میں نَماز پڑھنے کے اِرادے سے نکلے یہ اُس کے لئے ایک حج کے برابر ہے۔'' (شُعَبُ الْإِیمان ج٣ ص٤٩٩ حدیث٤١٩١)

سلام زبانی ہی عرض کیجئے

وہاں جو بھی سلام عرض کرنا ہے، وہ زَبانی یاد کر لینا مناسِب ہے، کتاب سے دیکھ کر سلام اور دُعا کے صیغے وہاں پڑھنا عجیب سا لگتا ہے کیونکہ سرورِ کائنات، شَہَنْشاہِ موجودات صَلَّی اللہ تعالٰی علیہ واٰلہٖ وسلَّم جسمانی حیات کے ساتھ حُجْرَۂ مُبارَکہ میں قبلے کی طرف رُخ کئے تشریف فرما ہیں اور ہمارے دِلوں تک کے خَطرات (یعنی خیالات) سے آگاہ ہیں۔ اِس تَصَوُّر کے قائم ہوجانے کے بعد کتاب سے دیکھ کر سلام وغیرہ عَرض کرنا بظاہر بھی نامُناسب معلوم ہوتا ہے۔ مَثَلاً آپ کے پیر صاحِب آپ کے سامنے موجود ہوں تو آپ اُن کو کتاب سے پڑھ پڑھ کر سلام عَرض کریں گے یا زَبانی ہی ''یا حضرت اَلسّلام علیکم'' کہیں گے؟ اُمّید ہے آپ میرا مُدَّعا سمجھ گئے ہوں گے۔ یاد رکھئے! بارگاہِ رِسالت صَلَّی اللہ تعالٰی علیہ واٰلہٖ وسلَّم میں بنے سجے اَلفاظ نہیں بلکہ دِل دیکھے جاتے ہیں۔

بُڑھیا کو دیدار ہوگیا مدینہ

مدینۂ منوّرہ زادَھَا اللہُ شَرَفاً وَّتَعظِیماً ۱۴۰۵ھ کی حاضِری میں سگِ مدینہ عُفِیَ عَنہ کو ایک پیر بھائی مرحوم حاجی اسمٰعیل نے یہ واقِعہ سُنایا تھا: دو یا تین سال پہلے تقریباً 85 سالہ ایک حجَّن بی سنہری جالیوں کے رُوبرو سلام عَرض کرنے حاضِر ہوئیں اور اپنے ٹوٹے پھوٹے اَلفاظ میں صلوٰۃ وسلام عَرض کرنا شُروع کیا، ناگاہ ایک خاتون پر نَظَر پڑی جو کتاب سے دیکھ دیکھ کر نہایت عُمدہ اَلقاب کے ساتھ صلوٰۃ وسلام عَرض کررہی تھی، یہ دیکھ کر بے چاری اَن پڑھ بُڑھیا کا دِل ڈوبنے لگا، عَرض کی: یا رسولَ اللہ صَلَّی اللہُ تعالٰی علیہ والہٖ وسلَّم! میں تو پڑھی لکھی ہوں نہیں جو اچھے اچھے الفاظ کے ساتھ سلام عرض کرسکوں، مجھ اَن پڑھ کا سلام آپ صَلَّی اللہُ تعالٰی علیہ والہٖ وسلَّم کو کہاں پسند آئے گا! دِل بھر آیا، رودھو کر چُپ ہورہی۔ رات جب سوئی تو سوئی ہوئی قسمت اَنگڑائی لے کر جاگ اُٹھی! کیا دیکھتی ہے کہ سرہانے اُمَّت کے والی، سرکارِ عالی صَلَّی اللہُ تعالٰی علیہ والہٖ وسلَّم تشریف لائے ہیں، لب ہائے مُبارَکہ کو جُنبِش ہوئی، رَحمت کے پھول جھڑنے لگے، اَلفاظ کچھ یوں ترتیب پائے:

''مایوس کیوں ہوتی ہو؟ ہم نے تمہارا سلام سب سے پہلے قبول فرمایا ہے۔''

جو تم کو نکمّے سے نکمّا نظر آئے تم اُس کے مددگار ہو تم اُس کے طرفدار
جو ہوتا نہیں مُنہ لگانے کے قابل لگاتے ہیں اُس کو بھی سینے سے آقا

صَلُّوا عَلَی الْحَبِیب! صلَّی اللہُ تعالٰی علٰی محمَّد

اَلِانْتِظَار.....! اَلِانْتِظَار.....!

سبز سبز گُنْبَد اور حُجْرَۂ مَقصُورَہ (یعنی وہ مبارک کمرہ جس میں حُضورانور صَلَّی اللہ تعالٰی علیہ واٰلہٖ وسلَّم کی قبرِ منوّر ہے) پرنظر جمانا عبادت اور کارِثواب ہے۔ زِیادہ سے زِیادہ وَقْت مسجِدُالنَّبَوِیِّ الشَّرِیف عَلٰی صَاحِبِهَا الصَّلٰوۃُ وَالسَّلام میں گزارنے کی کوشش کیجئے۔ مسجد شریف میں بیٹھے ہوئے دُرُودوسلام پڑھتے ہوئے حُجرَۂ مُطَہَّرہ پر جتنا ہوسکے نگاہِ عقیدت جمایا کیجئے اور اِس حسین تَصَوُّر میں ڈوب جایا کیجئے گویا عنقریب ہمارے میٹھے میٹھے آقا صَلَّی اللہ تعالٰی علیہ واٰلہٖ وسلَّم حُجرَۂ مُنوَّرہ سے باہَر تشریف لانے والے ہیں۔ ہجروفراق اور اِنتظارِ آقائے نامدار صَلَّی اللہ تعالٰی علیہ واٰلہٖ وسلَّم میں اپنے آنسوؤں کو بہنے دیجئے۔

کیا خبر آج ہی دِیدار کا اَرماں نکلے　　اپنی آنکھوں کو عقیدت سے بچھائے رکھئے

ایک میمن حاجی کو دیدار ہو گیا

سگِ مدینہ عُفِیَ عَنْہُ کو سن ۱٤٠٠ھ کی حاضری میں مدینۂ پاک زَادَھَا اللہُ شَرَفًا وَّ تَعْظِیْمًا میں بابُ الْمدینہ کراچی کے ایک نوجوان حاجی نے بتایا کہ میں مسجِدُالنَّبَوِیِّ الشَّرِیف عَلٰی صَاحِبِهَا الصَّلٰوۃُ وَالسَّلام میں رَحْمتِ عالم صَلَّی اللہ تعالٰی علیہ واٰلہٖ وسلَّم کے حُجرَۂ مَقصُورہ کے پیچھے پُشتِ اَطہر کی جانب سبز جالیوں کے پیچھے بیٹھا ہوا تھا کہ عین

بیداری کے عالم میں، میں نے دیکھا کہ اَچانک سبز سبز جالیوں کی رُکاوٹ ہٹ گئی اور تاجدارِ مدینہ، قرارِ قلب وسینہ صَلَّی اللہ تعالٰی علیہ واٰلہٖ وسلَّم حُجْرۂ پاک سے باہَر تشریف لے آئے اور مجھ سے فرمانے لگے: "مانگ کیا مانگتا ہے؟" میں نور کی تجلّیوں میں اِس قَدَر گُم ہوگیا کہ کچھ عَرض کرنے کی جَسارَت (یعنی ہمّت) ہی نہ رہی، آہ! میرے آقا صَلَّی اللہ تعالٰی علیہ واٰلہٖ وسلَّم جلوہ دِکھا کر مجھے تڑپتا چھوڑ کر اپنے حُجْرۂ مُطَہَّرہ میں واپَس تشریف لے گئے۔

شربتِ دِید نے اِک آگ لگائی دِل میں تَپِش دِل کو بڑھایا ہے بُجھانے نہ دِیا
اب کہاں جائے گا نقشہ ترا میرے دل سے تہ میں رکھا ہے اِسے دل نے گمانے نہ دیا

مدینہ 1: گلیوں میں نہ تھوکئے! مَکّے مدینے کی گلیوں میں تھوکا نہ کیجئے، نہ ہی ناک صاف کیجئے۔ جانتے نہیں اِن گلیوں سے ہمارے پیارے آقا صَلَّی اللہ تعالٰی علیہ واٰلہٖ وسلَّم گزرے ہیں۔

اَو پائے نظر ہوش میں آ، کُوئے نبی ہے آنکھوں سے بھی چلنا تو یہاں بے ادبی ہے

مدینہ 2: جنّتُ البقیع جنّتُ الْبَقِیع شریف نیز جنّتُ الْمَعْلٰی (مَکّہ مکرّمہ) دونوں مقدّس قبرِستانوں کے مقبروں اور مزاروں کو شہید کر دیا گیا ہے۔ ہزارہا صَحابۂ کرام رضی اللہ تعالٰی عنھم اور بے شمار اَہلبیتِ اَطہار رِضوانُ اللہ

تعالٰی عَلَیْہِمْ اَجْمَعِیْنَ واَولیاءِ کبار و عُشّاقِ زار رَحِمَہُمُ اللہُ الغَفّار کے مزارات کے نُقوش تک مِٹا دیئے گئے ہیں۔ حاضِری کیلئے اندر داخِلے کی صورت میں آپ کا پاؤں مَعاذَاللہ عَزَّوَجَلَّ کسی بھی صَحابی یا عاشِقِ رسول کے مزار شریف پر پڑسکتا ہے! شَرْعی مسئلہ یہ ہے کہ عام مسلمانوں کی قبروں پر بھی پاؤں رکھنا حرام ہے۔ ''رَدُّالْمُحتار'' میں ہے: (قبرِستان میں قبریں مِٹا کر) جو نیا راستہ نکالا گیا ہو اُس پر چلنا حرام ہے۔ (رَدُّالْمُحتار ج۱ ص۶۱۲) بلکہ نئے راستے کا صِرف گُمان ہو تب بھی اُس پر چلنا **ناجائز و گناہ** ہے۔ (دُرِّمُختار ج ۳ ص ۱۸۳) لِہٰذا مَدَنی اِلتجا ہے کہ باہَر ہی سے سلام عَرض کیجئے اور وہ بھی جنَّتُ الْبقیع کے صدر دروازے (MAIN ENTRANCE) پر نہیں بلکہ اُس کی چار دیواری کے باہَر اُس سَمت کھڑے ہوں جہاں سے قِبلے کو آپ کی پیٹھ ہو تاکہ مَدفُونینِ بَقیع کے چہرے آپ کی طرف رہیں۔ اب اس طرح

اَہلِ بَقیع کو سلام عَرض کیجئے

اَلسَّلَامُ عَلَیْکُمْ دَارَ قَوْمٍ مُّؤْمِنِیْنَ فَاِنَّا

ترجمہ: تم پر سلام ہو اے مومنوں کی بستی میں رہنے والو! ہم بھی

اِنْ شَآءَ اللّٰہُ بِکُمْ لَاحِقُوْنَ ط اَللّٰھُمَّ اغْفِرْ لِاَھْلِ

اِنْ شَآءَ اللّٰہ عَزَّوَجَلَّ تم سے آملنے والے ہیں۔اے اللہ عَزَّوَجَلَّ! بقیع غَرقد والوں کی

الْبَقِیْعِ الْغَرْقَدِ ط اَللّٰھُمَّ اغْفِرْ لَنَا وَلَھُمْ ط

مغفِرت فرما۔اے اللہ عَزَّوَجَلَّ! ہمیں بھی مُعاف فرما اور انہیں بھی مُعاف فرما۔

دِلوں پر خنجر پھر جاتا! مدینہ

آہ! ایک وَقْت وہ تھا کہ جب حِجازِ مقدّس میں اہلسنّت کی ''خدمت'' کا دَور تھا اور اُس وَقْت کے خَطیب واِمام بھی عاشِقانِ رسول ہُوا کرتے تھے، جُمُعہ کے روز دَورانِ خُطبہ جب خَطیب صاحِب مسجِدِ نبوی شریف عَلٰی صَاحِبِھَا الصَّلٰوۃُ وَالسَّلام میں رَوْضَۂ اَنور کی طرف ہاتھ سے اِشارہ کرتے ہوئے اَلصَّلٰوۃُ وَالسَّلَامُ عَلٰی ھٰذَا النَّبِی ط (یعنی اِس نبی محترم صَلَّی اللہ تعالٰی علیہ والہٖ وسلَّم پر دُرُود وسلام ہو) کہتے تو ہزاروں عاشِقانِ رسول کے دِلوں پر خنجر پھر جاتا اور وہ اَزخودرَفتگی کے عالم میں رونے لگ جایا کرتے۔

اَلوداعی حاضِری! مدینہ

جب مدینہ مُنوَّرہ زَادَھَا اللّٰہُ شَرَفًا وَّ تَعْظِیْمًا سے رُخصت ہونے کی جاں سوز گھڑی آئے روتے ہوئے اور نہ ہوسکے تو رونے جیسا مُنہ بنائے مُواجَھَہ شریف میں حاضِر ہوکر رورو

کر سلام عرض کیجئے اور پُر سوز و رِقّت کے ساتھ یوں عرض کیجئے:

اَلْوَدَاعُ یَارَسُوْلَ اللّٰہِ ؕ اَلْوَدَاعُ یَارَسُوْلَ اللّٰہِ ؕ
اَلْوَدَاعُ یَارَسُوْلَ اللّٰہِ ؕ اَلْفِرَاقُ یَارَسُوْلَ اللّٰہِ ؕ
اَلْفِرَاقُ یَارَسُوْلَ اللّٰہِ ؕ اَلْفِرَاقُ یَارَسُوْلَ اللّٰہِ ؕ
اَلْفِرَاقُ یَاحَبِیْبَ اللّٰہِ ؕ اَلْفِرَاقُ یَانَبِیَّ اللّٰہِ ؕ
اَلْاَمَانُ یَاحَبِیْبَ اللّٰہِ ؕ لَاجَعَلَہُ اللّٰہُ تَعَالٰی
اٰخِرَ الْعَھْدِ مِنْكَ وَلَا مِنْ زِیَارَتِكَ وَلَا
مِنَ الْوُقُوْفِ بَیْنَ یَدَیْكَ اِلَّا مِنْ خَیْرٍ
وَّعَافِیَةٍ وَّصِحَّةٍ وَّسَلَامَةٍ اِنْ عِشْتُ
اِنْ شَآءَ اللّٰہُ تَعَالٰی جِئْتُكَ وَاِنْ مِّتُّ فَاَوْدَعْتُ
عِنْدَكَ شَھَادَتِیْ وَاَمَانَتِیْ وَعَھْدِیْ وَمِیْثَاقِیْ
مِنْ یَّوْمِنَا ھٰذَا اِلٰی یَوْمِ الْقِیٰمَةِ وَھِیَ شَھَادَةُ

اَنْ لَّاۤ اِلٰهَ اِلَّا اللّٰهُ وَحْدَهٗ لَا شَرِيْكَ لَهٗ وَاَشْهَدُ اَنَّ مُحَمَّدًا عَبْدُهٗ وَرَسُوْلُهٗ ط ﴿سُبْحٰنَ رَبِّكَ رَبِّ الْعِزَّةِ عَمَّا يَصِفُوْنَ ﴿۱۸۰﴾ ج وَسَلٰمٌ عَلَى الْمُرْسَلِيْنَ ﴿۱۸۱﴾ ج وَالْحَمْدُ لِلّٰهِ رَبِّ الْعٰلَمِيْنَ ﴿۱۸۲﴾ ع﴾

اٰمِيْنَ اٰمِيْنَ اٰمِيْنَ يَارَبَّ الْعٰلَمِيْنَ بِحَقِّ طٰهٰ وَيٰسٓ

اَلْوِداع تاجدارِ مدینہ

آہ! اب وَقتِ رُخصت ہے آیا　　اَلْوِداع تاجدارِ مدینہ

صدمہَ ہجْر کیسے سہوں گا　　اَلْوِداع تاجدارِ مدینہ

بے قراری بڑھی جارہی ہے　　ہجْر کی اب گھڑی آرہی ہے

دِل ہُوا جاتا ہے پارہ پارہ　　اَلْوِداع تاجدارِ مدینہ

کس طرح شوق سے میں چلا تھا　　دِل کا غُنچہ خوشی سے کِھلا تھا

آہ! اب چھوٹتا ہے مدینہ اَلْوَداع تاجدارِ مدینہ

کُوئے جاناں کی رنگیں فضاؤ! اے معطّر مُعَنْبر ہواؤ!

لو سلام آخری اب ہمارا اَلْوَداع تاجدارِ مدینہ

کاش! قسمت مِرا ساتھ دیتی موت بھی یاوری میری کرتی

جان قدموں پہ قربان کرتا اَلْوَداع تاجدارِ مدینہ

سوزِ اُلفت سے جلتا رہوں میں عِشق میں تیرے گُھلتا رہوں میں

مجھ کو دیوانہ سمجھے زمانہ اَلْوَداع تاجدارِ مدینہ

میں جہاں بھی رہوں میرے آقا ہو نظر میں مدینے کا جلوہ

اِلتجا میری مقبول فرما اَلْوَداع تاجدارِ مدینہ

کچھ نہ حُسنِ عمل کر سکا ہوں نَذْر چند اَشک میں کر رہا ہوں

بس یہی ہے مِرا کُل اَثاثہ اَلْوَداع تاجدارِ مدینہ

آنکھ سے اب ہُوا خون جاری رُوح پر بھی ہے اب رَنج طاری

جلد عطّارؔ کو پھر بُلانا اَلْوَداع تاجدارِ مدینہ

اب پہلے کی طرح شَیْخَینِ کریمین رضی اللہ تعالٰی عنہما کی پاک بارگاہوں میں بھی سلام

عَرض کیجئے، خوب رو رو کر دعائیں مانگئے بار بار حاضِری کا سُوال کیجئے اور مدینے میں ایمان وعافِیَت کے ساتھ موت اور جنّتُ البقیع میں مدفن کی بھیک مانگئے۔ بعدِ فراغت روتے ہوئے اُلٹے پاؤں چلئے اور بار بار دَربارِ رسول صَلَّی اللہ تعالٰی علیہ واٰلہٖ وسلَّم کو اس طرح حَسْرَت بھری نَظَر سے دیکھئے جس طرح کوئی بچّہ اپنی ماں کی گود سے جُدا ہونے لگے تو بِلَک بِلَک کر روتا اور اُس کی طرف اُمّید بھری نگاہوں سے دیکھتا ہے کہ ماں اب بُلائے گی، کہ اب بُلائے گی اور بُلا کر شَفقت سے سینے سے چِمٹا لے گی۔ اے کاش! رُخصت کے وَقْت ایسا ہوجائے تو کیسی خوش بختی ہے، کہ مدینے کے تاجدار صَلَّی اللہ تعالٰی علیہ واٰلہٖ وسلَّم بُلا کر اپنے سینے سے لگالیں اور بے قرار رُوح قدموں میں قربان ہوجائے۔

ہے تمنّائے عطّار یارب اُن کے قدموں میں یوں موت آئے
جھوم کر جب گرے میرا لاشہ تھام لیں بڑھ کے شاہِ مدینہ

صَلُّوا عَلَی الْحَبِیب! صلَّی اللہُ تعالٰی علٰی محمَّد
تُوبُوا اِلَی اللہ! اَسْتَغْفِرُ اللہ
صَلُّوا عَلَی الْحَبِیب! صلَّی اللہُ تعالٰی علٰی محمَّد

مکۂ مکرمہ زَادَھَا اللّٰہُ شَرَفًا وَّتَعظِیمًا کی زِیارتیں

ولادت گاہِ سروَرِ عالم صَلَّی اللّٰہُ تَعَالٰی عَلَیْہِ وَاٰلِہٖ وَسَلَّم

حضرتِ علّامہ قطبُ الدّین عَلَیْہِ رَحْمَۃُ اللّٰہِ الْمُبِین فرماتے ہیں: حُضُورِ اکرم صَلَّی اللّٰہ تعالیٰ علیہ والہٖ وسلَّم کی ولادت گاہ پر دُعا قَبول ہوتی ہے۔(بلدالامین ص۲۰۱) یہاں پہنچنے کا آسان طریقہ یہ ہے کہ آپ کوہِ مَروہ کے کسی بھی قریبی دروازے سے باہَر آجائیے۔ سامنے نَمازیوں کیلئے بَہُت بڑا اِحاطہ بنا ہوا ہے، اِحاطے کے اُس پار یہ مکانِ عالیشان اپنے جلوے لُٹا رہا ہے، اِنْ شَآءَ اللّٰہ عَزَّوَجَلَّ دُور ہی سے نَظَر آجائے گا۔ خلیفہ ہارون رشید علیہ رَحمَۃُ اللّٰہِ المجید کی والِدۂ محترمہ رَحْمَۃُ اللّٰہِ تعالٰی علیہا نے یہاں مسجِد تعمیر کروائی تھی۔ آجکل اس مکانِ عَظَمت نشان کی جگہ لائبریری قائم ہے اوراس پر یہ بورڈ لگا ہوا ہے: ''مَکْتَبَۃُ مَکَّۃَ الْمُکَرَّمَۃ''

جبلِ ابو قُبَیس

یہ دُنیا کا سب سے پہلا پہاڑ ہے، مسجِدُ الْحرام کے باہَر صَفا ومَروہ کے قریب واقِع ہے۔ اِس پہاڑ پر دُعا قَبول ہوتی ہے، اہلِ مکّہ قَحط سالی کے موقع پر اس پر آکر دُعا مانگتے تھے۔ حدیثِ پاک میں ہے کہ حَجَرِ اَسْوَد جنّت سے یہیں نازِل ہُوا تھا (الترغیب

والترھیب ج ۲ ص ۱۲۵ حدیث ۲۰) اِس پہاڑ کو ''اَلْاَمین'' بھی کہا گیا ہے کہ ''طوفانِ نوح'' میں حَجَرِ اَسْوَد اِس پہاڑ پر بَحفاظت تمام تشریف فرما رہا، کعبۂ مُشرَّفہ کی تعمیر کے موقع پر اِس پہاڑ نے حضرتِ سیِّدُنا ابراھیم خلیلُ الله عَلٰی نَبِیِّنا وَعَلَیْہِ الصَّلٰوۃُ وَالسَّلام کو پکار کر عَرض کی: ''حَجَرِ اَسْوَد اِدھر ہے۔'' (بلدالامین ص ۲۰۴ بتغیر قلیل) منقول ہے: ہمارے پیارے آقا صَلَّی اللہ تعالٰی علیہ واٰلہٖ وسلَّم نے اِسی پہاڑ پر جلوہ اَفروز ہو کر چاند کے دو ٹکڑے فرمائے تھے۔ چُونکہ مَکَّۂ مکرّمہ زَادَھَا اللہُ شَرَفاً وَّتَعْظِیْماً پہاڑوں کے دَرمِیان گھرا ہُوا ہے چُنانچہ اس پر سے چاند دیکھا جاتا تھا پہلی رات کے چاند کو ہِلال کہتے ہیں لٰہذا اس جگہ پر بَطورِ یادگار مسجدِ ہِلال تعمیر کی گئی۔ بعض لوگ اِسے مسجدِ بِلال رضی اللہ تعالٰی عنہ کہتے ہیں۔ وَاللّٰہُ وَرَسُوْلُہ اَعْلَم عَزَّوَجَلَّ وصَلَّی اللہ تعالٰی علیہ واٰلہٖ وسلَّم۔ پہاڑ پر اب شاہی مَحَل تعمیر کر دیا گیا ہے، اور اب اُس مسجد شریف کی زیارت نہیں ہو سکتی۔ سنہ ۱۴۰۹ھ کے موسمِ حج میں اِس مَحَل کے قریب بم کے دھماکے ہوئے تھے اور کئی حُجّاجِ کرام نے جامِ شہادت نوش کیا تھا، اِس لئے اب مَحَل کے گرد سَخت پَہرا رہتا ہے۔ مَحَل کی حفاظت کے پیشِ نظر اِسی پہاڑ کی سُرنگوں میں بنائے ہوئے وُضوخانے بھی خَتم کر دیئے گئے ہیں۔ ایک رِوایت کے مُطابِق حضرتِ سیِّدُنا آدم صَفِیُّ اللّٰہ عَلٰی نَبِیِّنا وَعَلَیْہِ الصَّلٰوۃُ وَالسَّلام اِسی جَبَلِ ابو قُبَیس پر واقِع ''غارُ الکنز'' میں مَدفُون

ہیں جبکہ ایک مُستنَد رِوایت کے مطابق مسجدِ خَیف میں دَفن ہیں جوکہ مِنٰی شریف میں ہے۔ وَاللّٰہُ تعالٰی اَعْلَمُ وَرَسُوْلُہٗ اَعْلَم۔ عَزَّوَجَلَّ وصَلَّی اللہ تعالیٰ علیہ والہٖ وسلَّم۔

خدیجۃ الکبریٰ رضی اللہ تعالیٰ عنہا کا مکانِ رحمت نشان

مَکّے مدینے کے سُلطان صَلَّی اللہ تعالیٰ علیہ والہٖ وسلَّم جب تک مَکّۂ مکرّمہ زادَھَا اللہُ شَرَفًا وَّتَعْظِیْمًا میں رہے اِسی مکانِ عالی شان میں سکُونَت پذیر رہے۔ سیِّدُنا ابراھیم رضی اللہ تعالیٰ عنہ کے علاوہ تمام اولاد بشُمُول شہزادیٔ کونَین بی بی فاطِمہ زَہرا رضی اللہ تعالیٰ عنہا کی یہیں وِلادت ہوئی۔ سیِّدُنا جبرئیلِ امین عَلَیْہِ الصَّلٰوۃُ وَالسَّلام نے بارہا اِس مکانِ عالیشان کے اندر بارگاہِ رسالت میں حاضِری دی، حُضُورِ اکرم صَلَّی اللہ تعالیٰ علیہ والہٖ وسلَّم پر کثرت سے نُزولِ وَحی اِسی میں ہوا۔ مسجدِ حرام کے بعد مَکّۂ مکرّمہ زادَھَا اللہُ شَرَفًا وَّتَعْظِیْمًا میں اِس سے بڑھ کر افضل کوئی مقام نہیں۔ مگر صد کروڑ بلکہ اربوں کھربوں افسوس! کہ اب اِس کے نشان تک مٹادیئے گئے ہیں اور لوگوں کے چلنے کے لئے یہاں ہموار فَرش بنادیا گیا ہے۔ مَروَہ کی پہاڑی کے قریب واقع بابُ المَروَہ سے نکل کر بائیں طرف (LEFT SIDE) حسْرَت بھری نگاہوں سے صِرف اِس مکان عرش نشان کی فضاؤں کی زِیارَت کرلیجئے۔

غارِ جَبَلِ ثَور (مدینہ) یہ غارِ مُبارَک مَکّۂ مکرّمہ زادَھَا اللہُ شَرَفاً وَّ تَعظِیمًا کی دائیں جانِب مَحَلّۂ مَسفَلہ کی طرف کم و بیش چار کلومیٹر پر واقِع ''جَبَلِ ثَور'' میں ہے۔ یہ وہ مقدّس غار ہے جس کا ذِکر قراٰنِ کریم میں ہے، مکّے مدینے کے تاجوَر صَلَّی اللہ تعالٰی علیہ واٰلہٖ وسلَّم اپنے یارِ غار و یارِ مزار حضرتِ سیِّدُنا صِدّیقِ اکبر رضی اللہ تعالٰی عنہ کے ساتھ بَوَقتِ ہجرَت یہاں تین رات قِیام پذیر رہے۔ جب دشمن تلاشتے ہوئے غارِ ثَور کے منہ پر آپہنچے تو حضرتِ سیِّدُنا صدّیقِ اکبر رضی اللہ تعالٰی عنہ غمزدہ ہو گئے اور عَرض کی: یا رسولَ اللہ دشمن اتنے قریب آچکے ہیں کہ اگر وہ اپنے قدموں کی طرف نَظَر ڈالیں گے تو ہمیں دیکھ لیں گے، سرکارِ نامدار صَلَّی اللہ تعالٰی علیہ واٰلہٖ وسلَّم نے تسلّی دیتے ہوئے فرمایا: **لَا تَحْزَنْ اِنَّ اللّٰهَ مَعَنَا** ترجمۂ کنز الایمان: غم نہ کھا بیشک اللہ ہمارے ساتھ ہے (پ ۱۰، التوبہ: ۴۰) اِسی جَبَلِ ثَور پر قابیل نے سیِّدُنا ہابیل رضی اللہ تعالٰی عنہ کو شہید کیا۔

غارِ حِرا (مدینہ) تاجدارِ رِسالت صَلَّی اللہ تعالٰی علیہ واٰلہٖ وسلَّم ظُہُورِ رِسالت سے پہلے یہاں ذِکر و فکر میں مشغول رہے ہیں۔ یہ قبلہ رُخ واقع ہے۔ سرکارِ نامدار صَلَّی اللہ تعالٰی علیہ واٰلہٖ وسلَّم پر پہلی وَحی اِسی غار میں اُتری، جو کہ وہ **اِقْرَاْ بِاسْمِ رَبِّكَ الَّذِیْ خَلَقَ ۚ﴿۱﴾** سے **مَا لَمْ یَعْلَمْ** تک پانچ

آیتیں ہیں۔ یہ غارِ مُبارَک مسجِدُ الْحرام سے جانبِ مشرِق تقریباً تین میل پر واقِع "جَبَلِ حِرا" پر واقِع ،اس مبارک پہاڑ کو جَبَلِ نور بھی کہتے ہیں۔ "غارِحِرا" غارِثَور سے افضل ہے کیوں کہ غارِثَور نے تین ۳ دن تک سرکارِ دو عالَم صَلَّی اللہ تعالٰی علیہ واٰلہٖ وسلَّم کے قدم چومے جبکہ **غارِحِرا** سلطانِ دوسرا صَلَّی اللہ تعالٰی علیہ واٰلہٖ وسلَّم کی صُحبتِ بابَرَکت سے زیادہ عرصہ مشرَّف ہوا۔

قِسمتِ ثَور و حِرا کی حِرص ہے
چاہتے ہیں دِل میں گہرا غار ہم (حدائقِ بخشش)

دارِ اَرقم مدینہ

دارِاَرقم کوہِ صَفا کے قریب واقِع تھا۔ جب کُفّارِ جفا کار کی طرف سے خطرات بڑھے تو سرورِ کائنات صَلَّی اللہ تعالٰی علیہ واٰلہٖ وسلَّم اِسی میں پوشیدہ طور پر تشریف فرما رہے۔ اِسی مکانِ عالیشان میں کئی صاحِبان مُشَرَّف بہ اسلام ہوئے۔ **سیِّدُ الشُّہَدا** حضرتِ سیِّدُ نا حمزہ رضی اللہ تعالٰی عنہ اور امیرُ الْمُؤمِنِین حضرتِ سیِّدُ نا عمر فاروقِ اعظم رضی اللہ تعالٰی عنہ **اِسی مکانِ بَرَکت** نشان میں داخلِ اِسلام ہوئے۔ اِسی میں یہ آیتِ مُبارَکہ **یٰۤاَیُّهَا النَّبِیُّ حَسْبُكَ اللّٰهُ وَمَنِ اتَّبَعَكَ مِنَ الْمُؤْمِنِیْنَ۠** ﴿۶۴﴾ نازِل ہوئی۔ خلیفہ ہارون رشید علیہ رَحمَۃُ اللہِ المجید کی والِدۂ محترمہ رَحمَۃُ اللہِ تعالٰی علیہا نے اِس جگہ پر **مسجِد** بنوائی۔ بعد کے کئی

خُلَفاء اپنے اپنے دَور میں اِس کی تزئین میں حصّہ لیتے رہے۔ اب یہ توسیع میں شامل کرلیا گیا ہے اور کوئی علامت نہیں ملتی۔

مَحلّہ مَسفَلہ (مدینہ)

یہ مَحَلّہ بڑا تاریخی ہے، حضرتِ سیِّدُ نا ابراہیم خلیلُ اللّٰہ عَلٰی نَبِیِّنا وَعَلَیْہِ الصَّلٰوۃُ وَالسَّلام یہیں رہا کرتے تھے، حضراتِ صدّیق و فاروق وحمزہ رضی اللہ تعالٰی عنہم بھی اِسی مَحَلّہ مبارکہ میں قیام پذیر تھے۔ یہ مَحَلّہ خانۂ کعبہ کے حصّۂ دیوار ''مُسْتَجَار'' کی جانب واقع ہے۔

جَنَّتُ المَعْلٰی (مدینہ)

جنّتُ الْبقِیع کے بعد جنّتُ الْمَعْلٰی دُنیا کا سب سے افضل قبرِستان ہے۔ یہاں اُمُّ الْمؤمِنین خدیجۃ الکُبریٰ، حضرتِ سیِّدُ نا عبداللہ بن عمر اور کئی صَحابہ وتابعین رِضْوانُ اللّٰہِ تَعالٰی عَلَیْہِمْ اَجْمَعِیْن اور اَولیاء و صالحین رَحِمَھُمُ اللّٰہُ الْمُبِین کے مزاراتِ مقدّسہ ہیں۔ اب اِن کے قُبّے (یعنی گُنْبد) وغیرہ شہید کردیئے گئے ہیں، مزارات مِسمار کرکے اُن پر راستے نکالے گئے ہیں۔ لہٰذا باہَر رہ کر دُور ہی سے اِس طرح سلام عَرْض کیجئے:

اَلسَّلَامُ عَلَیْکُمْ یَا اَھْلَ الدِّیَارِ مِنَ

سلام	ہو	آپ	پر	اے	قبروں	میں	رہنے	والو!

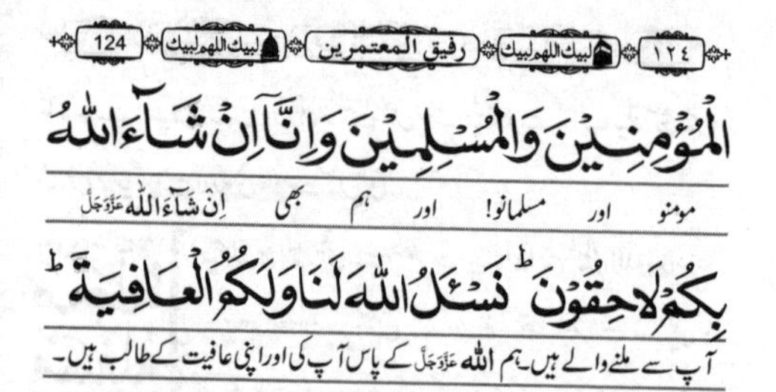

الْمُؤْمِنِیْنَ وَالْمُسْلِمِیْنَ وَاِنَّآ اِنْ شَآءَ اللّٰہُ

مومنو اور مسلمانو! اور ہم بھی اِنْ شَآءَ اللّٰہ عَزَّوَجَلَّ

بِکُمْ لَاحِقُوْنَ ط نَسْئَلُ اللّٰہَ لَنَا وَلَکُمُ الْعَافِیَۃَ ط

آپ سے ملنے والے ہیں۔ہم اللہ عَزَّوَجَلَّ کے پاس آپ کی اور اپنی عافیت کے طالب ہیں۔

اپنے لئے اپنے والِدَین اور تمام اُمّت کی مغفِرت کے لئے دُعا مانگئے اور بالخُصُوص اَھلِ جنَّتُ الْمَعْلٰی کے لئے اِیصالِ ثواب کیجئے۔اِس قبرِستان میں دُعا قَبول ہوتی ہے۔

مسجدِ جِنّ: یہ مسجد جنَّتُ الْمَعْلٰی کے قریب واقِع ہے۔سرکارِ مدینہ صَلَّی اللّٰہ تعالٰی علیہ والہٖ وسلَّم سے نَمازِ فَجر میں قراٰنِ پاک کی تِلاوت سن کر یہاں جنّات مسلمان ہوئے تھے۔

مسجدُ الرّایَہ: یہ مسجدِ جنّ کے قریب ہی سیدھے ہاتھ کی طرف ہے۔ "رایۃ" عَرَبی میں جھنڈے کو کہتے ہیں۔یہ وہ تاریخی مَقام ہے جہاں فتحِ مَکّہ کے موقع پر ہمارے پیارے آقا صَلَّی اللّٰہ تعالٰی علیہ والہٖ وسلَّم نے اپنا جھنڈا شریف نَصب فرمایا تھا۔

مسجدِ خَیف

یہ مِنٰی شریف میں واقع ہے۔ حجّۃُ الوَداع کے موقع پر ہمارے پیارے پیارے آقا صَلَّی اللہ تعالٰی علیہ واٰلہٖ وسلَّم نے یہاں نَماز ادا فرمائی ہے۔ رَحْمتِ عالم صَلَّی اللہ تعالٰی علیہ واٰلہٖ وسلَّم نے فرمایا: صَلّٰی فِیْ مَسْجِدِ الْخَیْفِ سَبْعُوْنَ نَبِیًّا مسجدِ خَیف میں 70 اَنْبِیاء (عَلَیہِمُ الصَّلٰوۃُ وَالسَّلام) نے نَماز ادا فرمائی۔ (مُعجَم اَوسط ج ٤ ص ١١٧ حدیث ٥٤٠٧)

اور فرمایا: فِی الْمَسْجِدِ الْخَیْفِ قَبْرُ سَبْعِیْنَ نَبِیًّا مسجدِ خَیف میں 70 اَنْبِیاء (عَلَیہِمُ الصَّلٰوۃُ وَالسَّلام) کی قبریں ہیں۔ (مُعجَم کبیر ج ١٢ ص ٣١٦ حدیث ١٣٥٢٥) اب اِس مسجِد شریف کی کافی توسیع ہو چکی ہے۔ زائرینِ کرام کو چاہیے کہ بصد عقیدت و احتِرام اِس مسجِد شریف کی زِیارت کریں، اَنْبِیائے کرام عَلَیہِمُ الصَّلٰوۃُ وَالسَّلام کی خدمتوں میں اِس طرح سلام عَرْض کریں: اَلسَّلَامُ عَلَیْکُمْ یَا اَنْبِیَاءَ اللّٰہِ وَرَحْمَۃُ اللّٰہِ وَبَرَکَاتُہٗ پھر ایصالِ ثواب کر کے دُعا مانگیں۔

مسجدِ جِعِرّانہ

مکّۂ مکرّمہ زادَھَا اللہُ شَرَفًا وَّ تَعْظِیْمًا سے جانبِ طائف تقریباً 26 کلومیٹر پر واقع ہے۔ آپ بھی یہاں سے عُمرے کا اِحْرام باندھیے کہ فتحِ مکّہ کے بعد طائف شریف فتح کر کے واپَسی پر ہمارے پیارے آقا صَلَّی اللہ تعالٰی علیہ واٰلہٖ وسلَّم نے یہاں سے

عُمرے کا اِحرام زیبِ تن فرمایا تھا۔ یوسف بن ماہَک علیہ رحمۃ اللہ الخالق فرماتے ہیں: مقامِ جِعِرّانہ سے 300 اَنْبِیائے کرام علیھم الصّلوٰۃ والسّلام نے عُمرے کا اِحرام باندھا ہے، سرکارِ نامدار صَلَّی اللہ تعالیٰ علیہ واٰلہٖ وسلَّم نے جِعِرّانہ پر اپنا عصا مبارک گاڑا جس سے پانی کا چشمہ اُبلا جو نہایت ٹھنڈا اور میٹھا تھا (بلد الامین ص ۲۲۱، اخبار مکہ، جزء ۵ ص ۶۲، ۶۹) مشہور ہے اُس جگہ پر کنواں ہے۔ سیِّدُنا ابنِ عباس رضی اللہ تعالیٰ عنہما فرماتے ہیں: حُضُورِ اکرم صَلَّی اللہ تعالیٰ علیہ واٰلہٖ وسلَّم نے طائف سے واپسی پر یہاں قِیام کیا اور یہیں مالِ غنیمت بھی تقسیم فرمایا۔ آپ صَلَّی اللہ تعالیٰ علیہ واٰلہٖ وسلَّم نے 28 شوالُ المکرّم کو یہاں سے عُمرے کا اِحرام باندھا تھا۔ (بلد الامین ص ۲۲۰، ۲۲۱) اِس جگہ کی نِسبت قُریش کی ایک عورت کی طرف ہے جس کا لقب جِعِرّانہ تھا۔ (ایضاً ص ۱۳۷) عوام اِس مَقام کو ''بڑا عُمرہ'' بولتے ہیں۔ یہ نہایت ہی پُر سوز مَقام ہے، حضرتِ سیِّدُنا شیخ عبدُ الْحق مُحدِّث دِہلوی عَلَیْہِ رَحْمَۃُ اللہِ القَوِی ''اَخبارُ الْاَخیار'' میں نَقْل کرتے ہیں کہ میرے پِیر و مُرشِد حضرتِ سیِّدُنا شیخ عبدُ الْوہّاب مُتَّقی عَلَیْہِ رَحْمَۃُ اللہِ القَوِی نے مجھے تاکید فرمائی ہے کہ موقع ملنے پر جِعِرّانہ (جِ۔عِرّ۔رانہ) سے ضَرور عُمرے کا اِحرام باندھنا کہ یہ ایسا مُتَبرَّک مَقام ہے کہ میں نے یہاں ایک رات کے مختصر سے حصّے کے اندر سو سے زائد بار مدینے کے تاجدار صَلَّی اللہ تعالیٰ علیہ واٰلہٖ وسلَّم کا خواب میں دیدار کیا ہے

اَلْحَمْدُ لِلّٰہِ عَلٰی اِحْسَانِہٖ۔ حضرتِ سیِّدُنا شیخ عبدُ الوہاب مُتَّقی عَلَیْہِ رَحمَۃُ اللہِ القَوِی کا معمول تھا کہ عُمرے کا اِحْرام باندھنے کیلئے روزہ رکھ کر پیدل جِعِرّانہ جایا کرتے تھے۔ (مُلَخَّص از اخبار الاخیار ص۲۷۸)

مزارِ میمونہ رَضِیَ اللہُ تَعَالٰی عَنْہَا مدینہ

مدینہ روڈ پر ''نَوارِیہ'' کے قریب واقع ہے۔ تادمِ تحریر یہاں کی حاضِری کا ایک طریقہ یہ ہے کہ آپ بس 2A یا 13 میں سُوار ہو جایئے، یہ بس مدینہ روڈ پر تنعیم یعنی مسجدِ عائشہ رضی اللہ تعالیٰ عنہا سے گزرتی ہوئی آگے بڑھتی ہے، مسجدُ الحرام سے تقریباً 17 کلومیٹر پر اِس کا آخری اسٹاپ ''نَوارِیہ'' ہے، یہاں اُتر جایئے اور پلٹ کر روڈ کے اُسی کَنارے پر مکّۂ مکرّمہ زَادَھَا اللہُ شَرَفاً وَّتَعْظِیْماً کی طرف چلنا شُروع کیجئے، دس یا پندرہ مِنَٹ چلنے کے بعد ایک پولیس چیک پوسٹ (نکتۂ تفتیش) ہے پھر مَوقِفِ حُجّاج بنا ہوا ہے اس سے تھوڑا آگے روڈ کی اُسی جانِب ایک چار دیواری نظر آئے گی، یہیں اُمُّ الْمؤمنین حضرتِ سیِّدَتُنا میمُونہ رضی اللہ تعالیٰ عنہا کا مزار فائضُ الْاَنوار ہے۔ یہ مزار مبارَک سڑک کے بیچ میں ہے۔ لوگوں کا کہنا ہے کہ سڑک کی تعمیر کیلئے اِس مزار شریف کو شہید کرنے کی کوشش کی گئی تو ٹریکٹر (TRACTOR) اُلٹ جاتا تھا، ناچار یہاں چار دیواری بنادی گئی۔ ہماری پیاری پیاری امّی جان سیِّدَتُنا میمُونہ

رضی اللہ تعالٰی عنہا کی کرامت مرحبا! ؎

اَہلِ اِسلام کی مادرانِ شفیق بانُوانِ طہارت پہ لاکھوں سلام

”یانبی! چشمِ کرم“ کے گیارہ حُروف کی نسبت سے مسجدُ الحرام میں ”نمازِ مصطفٰے“ کے 11 مقامات

﴿۱﴾ بیتُ اللہ شریف کے اَندر ﴿۲﴾ مَقامِ ابراھیم کے پیچھے ﴿۳﴾ مَطاف کے کَنارے پر حَجرِ اَسْوَد کی سیدھ میں ﴿٤﴾ حَطیم اور بابُ الْکعبہ کے دَرمِیان رُکنِ عِراقی کے قریب ﴿٥﴾ مقامِ حُفْرَہ پر جو بابُ الکعبہ اور حَطیم کے دَرمِیان دیوارِ کعبہ کی جڑ میں ہے۔ اِس مَقام کو ”مَقامِ اِمامتِ جبرائیل“ بھی کہتے ہیں۔ شَہَنْشاہِ دوعالم صَلَّی اللہ تعالیٰ علیہ واٰلہٖ وسلّم نے اِسی مَقام پر سیِّدُنا جبرائیل عَلَیْہِ السَّلام کو پانچ نَمازوں میں اِمامت کاشَرَف بخشا۔ اِسی مُبارَک مَقام پر سیِّدُنا ابراھیم خَلِیْلُ اللہ عَلٰی نَبِیِّنا وَعَلَیْہِ الصَّلٰوۃُ وَالسَّلام نے ”تعمیرِ کعبہ“ کے وَقت مِٹّی کا گارا بنایا تھا ﴿٦﴾ بابُ الْکعبہ کی طرف رُخ کرکے۔ (دروازۂ کعبہ کی سیدھ میں نَماز ادا کرنا تمام اَطراف کی سیدھ سے افضل ہے[1]) ﴿٧﴾ میزابِ رَحمت کی طرف رُخ

---

[1] کہاجاتا ہے: پاک وہند دروازۂ کعبہ ہی کی سَمت واقع ہیں۔ اَلْحَمْدُ لِلّٰہِ عَلٰی اِحْسَانِہٖ ط وَاللہُ تعالٰی اَعْلَمُ وَرَسُوْلُہٗ اَعْلَم عَزَّوَجَلَّ وَصلَّی اللہ تعالیٰ علیہ واٰلہٖ وسلَّم

کر کے۔ (کہا جاتا ہے کہ مزارِ ضیا بار میں سرکارِ عالی وَقار صَلَّی اللہ تعالیٰ علیہ واٰلہٖ وسلَّم کا چہرۂ پُر انوار اِسی جانب ہے) ﴿۸﴾ تمام حَطیم میں خُصُوصاً میزابِ رَحمت کے نیچے ﴿۹﴾ رُکنِ اَسْوَد اور رُکنِ یَمانی کے درمیان ﴿۱۰﴾ رُکنِ شامی کے قریب اِس طرح کہ ''بابِ عُمرہ'' آپ صَلَّی اللہ تعالیٰ علیہ واٰلہٖ وسلَّم کی پُشتِ اَقدس کے پیچھے ہوتا۔ خواہ آپ صَلَّی اللہ تعالیٰ علیہ واٰلہٖ وسلَّم ''حَطِیم'' کے اَندر ہو کر نَماز ادا فرماتے یا باہَر ﴿۱۱﴾ حضرتِ سیِّدُنا آدم صَفیُّ اللّٰہ عَلٰی نَبِیِّنا وَعَلَیْہِ الصَّلٰوۃُ وَالسَّلام کے نَماز پڑھنے کے مقام پر جو کہ رُکنِ یَمانی کے دائیں یا بائیں طرف ہے اور ظاہر تر یہ ہے کہ مُصَلّیِ آدم ''مُسْتَجار'' پر ہے۔ (کتاب الحج ص ۲۷٤)

مدینۂ منوَّرہ کی زِیارتیں

رَوضَۃُ الجنّۃ

تاجدارِ مدینہ صَلَّی اللہ تعالیٰ علیہ واٰلہٖ وسلَّم کے حُجرۂ مُبارَکہ (جس میں سرکار صَلَّی اللہ تعالیٰ علیہ واٰلہٖ وسلَّم کا مزارِ پُرانوار ہے) اور مِنْبَرِ نور بار (جہاں آپ صَلَّی اللہ تعالیٰ علیہ واٰلہٖ وسلَّم خُطبہ اِرشاد فرمایا کرتے تھے) کا درمیانی حصّہ جس کا طُول (یعنی لمبائی) 22میٹر اور

عَرض (چوڑائی) 15 میٹر ہے رَوْضَۃُ الْجَنَّہ یعنی ''جنّت کی کیاری'' ہے۔ چُنانچِہ ہمارے پیارے آقا صَلَّی اللہ تعالٰی علیہ واٰلہٖ وسلَّم کا فرمانِ عالیشان ہے: مَا بَیْنَ بَیْتِیْ وَمِنْبَرِیْ رَوْضَۃٌ مِّنْ رِیَاضِ الْجَنَّۃِ ۔ یعنی میرے گھر اور مِنْبر کی دَرمیانی جگہ جنّت کے باغوں میں سے ایک باغ ہے۔ (بُخاری ج۱ ص ۴۰۲ حدیث ۱۱۹۵) عام بول چال میں لوگ اِسے ''رِیاضُ الْجَنَّہ'' کہتے ہیں مگر اَصْل لفظ ''رَوْضَۃُ الْجَنَّہ'' ہے۔

یہ پیاری پیاری کیاری ترے خانہ باغ کی
سرد اِس کی آب و تاب سے آتشِ سَقَر کی ہے (حدائقِ بخشش شریف)

صَلُّوا عَلَی الْحَبِیب ! صلَّی اللہُ تعالٰی علٰی محمَّد

مسجِدِ قُبا

مدینۂ طیّبہ زَادَھَا اللہُ شَرَفًا وَّ تَعْظِیْمًا سے تقریباً تین کلومیٹر جُنوب مغرِب کی طرف ''قُبا'' نامی ایک قدیمی گاؤں ہے جہاں یہ مُتَبرَّک مسجِد بنی ہوئی ہے، قراٰنِ کریم اور اَحادیثِ صَحیحہ میں اِس کے فضائل نہایت اِہتمام سے بیان فرمائے گئے ہیں۔ عاشِقانِ رسول مسجدُ النَّبَوِیِّ الشَّریف عَلٰی صَاحِبِہَا الصَّلٰوۃُ وَالسَّلَام سے درمیانی چال چل کر پیدل تقریباً 40 مِنَٹ میں مسجِد قُبا پُہنچ سکتے ہیں۔ بُخاری شریف میں ہے: حُضورِ انور

صَلَّی اللہ تعالٰی علیہ واٰلہٖ وسلَّم ہر ہفتے کبھی پَیدل تو کبھی سُواری پر مسجدِ قُبا تشریف لے جاتے تھے۔ (بُخاری ج ۱ ص ۴۰۲ حدیث ۱۱۹۳)

مدینہ عُمرے کا ثواب

دو فرامینِ مصطفٰے صَلَّی اللہ تعالٰی علیہ واٰلہٖ وسلَّم: ﴿۱﴾ مسجدِ قُبا میں نَماز پڑھنا عُمرے کے برابر ہے (تِرمذی ج ۱ ص ۳۴۸ حدیث ۳۲۴) ﴿۲﴾ جس شخص نے اپنے گھر میں وُضو کیا پھر مسجدِ قُبا میں جا کر نَماز پڑھی تو اُسے عُمرے کا ثواب ملے گا۔ (ابنِ ماجه ج ۲ ص ۱۷۵ حدیث ۱۴۱۲)

مدینہ مزارِ سیِّدُنا حمزہ

آپ رضی اللہ تعالٰی عنہ غزوۂ اُحُد (سنہ ۳ ھ) میں شہید ہوئے تھے، آپ رضی اللہ تعالٰی عنہ کا مزار فائضُ الْاَنوار اُحُد شریف کے قریب واقِع ہے۔ ساتھ ہی حضرتِ سیِّدُنا مُصْعَب بن عُمَیر رضی اللہ تعالٰی عنہ اور حضرتِ سیِّدُنا عَبْدُ اللّٰہ بن جَحْش رضی اللہ تعالٰی عنہ کے مزارات بھی ہیں۔ نیز غزوۂ اُحُد میں 70 صَحابۂ کرام عَلَیہِمُ الرِّضْوَان نے جامِ شہادت نوش کیا تھا اُن میں سے بیشتر شُہَدائے اُحُد بھی ساتھ ہی بنی ہوئی چار دیواری میں ہیں۔

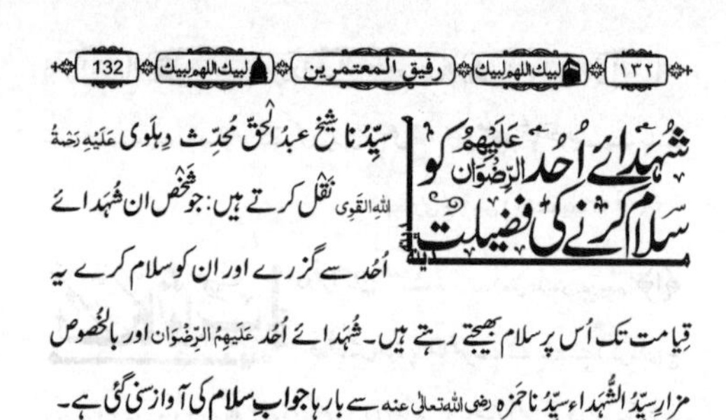

شُہدائے اُحُد علیہم الرضوان کو سلام کرنے کی فضیلت

سیّدُنا شیخ عبدُالحق مُحدّث دِہلوی علیہ رحمۃ اللہِ القوی نقل کرتے ہیں: جو شخص ان شُہدائے اُحُد سے گزرے اور ان کو سلام کرے یہ قیامت تک اُس پر سلام بھیجتے رہتے ہیں۔ شُہدائے اُحُد علیہم الرضوان اور بالخصوص مزارِ سیّدُ الشُّہداء سیّدُنا حمزہ رضی اللہ تعالیٰ عنہ سے بارہا جوابِ سلام کی آواز سنی گئی ہے۔

(جذبُ القلوب ص ۱۷۷)

سیّدُنا حمزہ کی خدمت میں سلام

اَلسَّلَامُ عَلَیْكَ یَا سَیِّدَنَا حَمْزَۃُ ؕ اَلسَّلَامُ

ترجمہ: سلام ہو آپ پر اے سیّدُنا حمزہ رضی اللہ تعالیٰ عنہ۔ سلام

عَلَیْكَ یَا عَمَّ رَسُوْلِ اللّٰہِ ؕ اَلسَّلَامُ عَلَیْكَ

ہو آپ پر اے محترم چچا رسولُ اللہ صلَّی اللہ تعالیٰ علیہ والہٖ وسلَّم کے، سلام ہو

یَا عَمَّ نَبِیِّ اللّٰہِ ؕ اَلسَّلَامُ عَلَیْكَ یَا عَمَّ

آپ پر اے عمِ بُزُرگوار اللہ عزّوجلّ کے نبی صلَّی اللہ تعالیٰ علیہ والہٖ وسلَّم کے، سلام ہو آپ پر اے چچا

حَبِیْبِ اللّٰہِ ط اَلسَّلَامُ عَلَیْکَ یَا عَمَّ

اے چچا پر آپ ہو سلام ، اللہ عَزَّوَجَلَّ کے محبوب صَلَّی اللہ تعالٰی علیہ والہٖ وسلَّم کے

الْمُصْطَفٰی ط اَلسَّلَامُ عَلَیْکَ یَا سَیِّدَ الشُّھَدَآءِ

مصطفٰے صَلَّی اللہ تعالٰی علیہ والہٖ وسلَّم کے ، سلام ہو آپ پر اے سردار شہیدوں کے

وَیَا اَسَدَ اللّٰہِ وَاَسَدَ رَسُوْلِہٖ ط اَلسَّلَامُ عَلَیْکَ

اور اے شیر اللہ عَزَّوَجَلَّ کے اور شیر اُس کے رسول صَلَّی اللہ تعالٰی علیہ والہٖ وسلَّم کے۔ سلام

یَا سَیِّدَنَا عَبْدَ اللّٰہِ بْنَ جَحْشٍ ط اَلسَّلَامُ عَلَیْکَ

ہو آپ پر اے سیِّدُنا عبداللہ بن جحش رضی اللہ تعالٰی عنہ سلام ہو آپ پر

یَا مُصْعَبَ بْنَ عُمَیْرٍ ط اَلسَّلَامُ عَلَیْکُمْ یَا

اے مُصْعَب بن عُمیر رضی اللہ تعالٰی عنہ۔ سلام ہو اے

شُھَدَآءَ اُحُدٍ کَافَّۃً عَامَّۃً وَّرَحْمَۃُ اللّٰہِ وَبَرَکَاتُہٗ ط

شُہدائے اُحُد آپ سبھی پر اور اللہ عَزَّوَجَلَّ کی رحمتیں اور برکتیں۔

جرائم اور اُن کے کفّارے

سُوال و جواب کے مطالَعے سے قَبل چند ضَروری **اِصطِلاحات** وغیرہ ذِہن نشین کر لیجئے۔

دَم وغیرہ کی تعریف:

﴿۱﴾ **دَم** یعنی ایک بکرا۔ (اِس میں نَر، مادہ، دُنْبہ، بَھیڑ، نیز گائے یا اُونٹ کا ساتواں حصّہ سب شامل ہیں)

﴿۲﴾ **بَدَنہ** یعنی اُونٹ یا گائے۔ (اِس میں بیل، بھینس وغیرہ شامل ہیں)

گائے بکرا وغیرہ یہ تمام جانور اُن ہی شرائط کے ہوں جو قربانی میں ہیں۔

﴿۳﴾ **صَدَقہ** یعنی صَدَقۂ فِطر کی مِقدار۔ آج کل کے حساب سے صَدَقۂ فِطر کی مِقدار 2 کلو میں سے 80 گرام کم گندُم یا اُس کا آٹا یا اُس کی رقم یا اُس کے دُگنے جَو یا کھجور یا اُس کی رقم ہے۔

دَم وغیرہ میں رِعایت

اگر بیماری، سَخت سردی، سَخت گرمی، پھوڑے اور زَخم یا جُوؤں کی شدید تکلیف کی وجہ سے کوئی جُرم ہوا تو اُسے ''جُرمِ غیر اِختیاری'' کہتے ہیں۔ اگر کوئی

''جُرم غیر اِختیاری'' صادِر ہوا جس پر دَم واجِب ہوتا ہے تو اِس صورت میں اِختیار ہے کہ چاہے تو **دَم** دے دے اور اگر چاہے تو دَم کے بدلے **چھ مِسکینوں کو صَدَقہ** دے دے۔ اگر ایک ہی مِسکین کو چھ صَدَقے دے دیئے تو ایک ہی شُمار ہوگا۔ لٰہذا یہ ضَروری ہے کہ الگ الگ چھ مسکینوں کو دے۔ دوسری رِعایت یہ ہے کہ اگر چاہے تو دَم کے بدلے چھ مَساکین کو دونوں وَقت پیٹ بھر کر کھانا کِھلا دے۔ **تیسری رِعایت** یہ ہے کہ اگر صَدَقہ وغیرہ نہیں دینا چاہتا تو تین روزے رکھ لے ''دَم'' ادا ہوگیا۔ اگر کوئی ایسا جُرم غیر اِختیاری کیا جس پر صَدَقہ واجِب ہوتا ہے تو اِختیار ہے کہ صَدَقے کے بجائے **ایک روزہ** رکھ لے۔ (مُلَخَّص از بہارِ شریعت ج۱ص۱۱۶۲)

دَم، صَدَقے اور روزے کے ضَروری مسائل

اگر کَفّارے کے روزے رکھیں تو یہ شَرط ہے کہ رات سے یعنی صُبحِ صادِق سے پہلے پہلے یہ نیّت کرلیں کہ یہ فُلاں کَفّارے کا روزہ ہے۔ اِن ''روزوں'' کے لئے نہ اِحرام شَرط ہے نہ ہی اِن کا پے درپے ہونا۔ صَدَقے اور روزے کی ادائیگی اپنے وطن میں بھی کرسکتے ہیں، البتّہ صَدَقہ اور کھانا اگر حَرَم کے مَساکین کو پیش کردیا جائے تو یہ افضل ہے۔ **دَم اور بَدَنہ** کے جانور کا حَرَم میں ذَبح ہونا شَرط ہے۔ شکرانے کی قُربانی کا گوشت

آپ خود بھی کھائیے، مال دار کو بھی کھلائیے اور مَساکین کو بھی پیش کیجئے، مگر کفّارے یعنی ''دَم'' اور ''بَدَنے'' وغیرہ کا گوشت صِرْف محتاجوں کا حق ہے، نہ خود کھا سکتے ہیں نہ غنی کو کھلا سکتے ہیں۔ (مُلَخّص از بہارِ شریعت ج ۱ ص ۱۱۶۲، ۱۱۶۳)

اللہ عَزَّوَجَلَّ سے ڈریئے!

بعض نادان جان بوجھ کر ''جُرم'' کرتے ہیں اور کفّارہ بھی نہیں دیتے۔ یہاں دو گناہ ہوئے، ایک تو جان بوجھ کر جُرم کرنے کا اور دوسرا کفّارہ نہ دینے کا۔ ایسوں کو کفّارہ بھی دینا ہوگا اور توبہ بھی واجِب ہوگی۔ ہاں مجبوراً جُرم کرنا پڑا یا بے خیالی میں ہو گیا تو کفّارہ کافی ہے گناہ نہیں ہوا اِس لئے توبہ بھی واجِب نہیں اور یہ بھی یاد رکھئے کہ جُرم چاہے یاد سے ہو یا بھولے سے، اس کا جُرم ہونا جانتا ہو یا نہ جانتا ہو، خوشی سے ہو یا مجبوراً، سوتے میں ہو یا جاگتے میں، بے ہوشی میں ہو یا ہوش میں، اپنی مرضی سے کیا ہو یا دوسرے کے ذَرِیعے کروایا ہو ہر صُورت میں کفّارہ لازِمی ہے، اگر نہیں دے گا تو گنہگار ہوگا۔ جب خَرْچ سَر پر آتا ہے تو بعض لوگ یہ بھی کہہ دیا کرتے ہیں: ''اللہ عَزَّوَجَلَّ مُعاف فرمائے گا!'' اور پھر وہ دَم وغیرہ نہیں دیتے۔ ایسوں کو سوچنا چاہئے کہ کفّارات شریعت ہی نے واجِب کئے ہیں اور جان بوجھ کر ٹالَم ٹَول کرنا شریعت ہی کی خِلاف وَرزی ہے جو کہ سَخْت ترین جُرم ہے۔ بعض مال

کے متوالے نادان حُجّاج، عُلَمائے کرام سے یہاں تک پوچھتے سنائی دیتے ہیں کہ **صِرْف گناہ ہے نا! دم تو واجِب نہیں؟** (مَعَاذَاللہ) صد کروڑ افسوس! چند سکّے بچانے ہی کی فکر ہے، گناہ کے سبب ہونے والے سخت عذاب کے اِستحقاق کی کوئی پرواہ نہیں، **گناہ کو ہلکا جاننا بَہُت سَخْت بات بلکہ بعض صورَتوں میں کُفْر ہے۔** **اللہ** عَزَّوَجَلَّ مَدَنی فِکْر نصیب فرمائے۔ اٰمِین بِجاہِ النَّبِیِّ الْاَمین صَلَّی اللہ تعالیٰ علیہ واٰلہٖ وسلَّم

طَواف کے بارے میں مُتَفَرِّق سُوال وجواب

سُوال : بِھیڑ کے سبب یا بے خَیالی میں کسی طَواف کے دَوران تھوڑی دیر کے لئے اگر سینہ یا پِیٹھ کعبے کی طرف ہو جائے تو کیا کریں؟

جواب : طَواف میں سینہ یا پِیٹھ کئے جتنا فاصِلہ طے کیا ہو اُتنے فاصلے کا اِعادہ (یعنی دوبارہ کرنا) واجِب ہے اور افضل یہ ہے کہ وہ پَھیرا ہی نئے سرے سے کرلیا جائے۔

اِستِلامِ حَجَر میں ہاتھ کہاں تک اُٹھائیں؟

سُوال: طَواف میں حَجَرِ اَسْوَد کے سامنے ہاتھ کندھوں تک اُٹھانا سنَّت ہے یا نَمازی کی طرح کانوں تک؟

جواب: اِس میں عُلَماء کے مختلف اَقوال ہیں۔ ''فتاویٰ حج وعمرہ'' میں جُدا جُدا اقوال نَقل کرتے ہوئے لکھا ہے: کانوں تک ہاتھ اُٹھانا مَرْد کیلئے ہے کیوں کہ وہ

نَماز کیلئے بھی کانوں تک ہاتھ اُٹھاتا ہے اور عورت کندھوں تک ہاتھ اُٹھائے

گی اس لئے کہ وہ نَماز کیلئے یہیں تک ہاتھ اٹھاتی ہے۔ (فتاوٰی حج وعمرہ حصہ اوّل ص ۱۲۷)

سُوال: نَماز کی طرح ہاتھ باندھ کر طَواف کرنا کیسا؟

جواب: مُسْتَحَب نہیں ہے، بچنا مناسِب ہے۔

طَواف میں پَھیروں کی گنتی یاد نہ رہی تو؟

سُوال: اگر دَورانِ طَواف پَھیروں کی گنتی بھول گئے یا تعداد کے بارے میں شک واقِع ہوا اس پریشانی کا کیا حل ہے؟

جواب: اگر یہ طَواف فرض (مَثَلاً عُمرے کا طواف یا طوافِ زیارت) یا واجِب (مَثَلاً طوافِ وَداع) ہے تو نئے سرے سے شُروع کیجئے، اگر کسی ایک عادِل شخص نے بتا دیا کہ اتنے پَھیرے ہوئے تو اُس کے قول پر عمل کر لینا بہتر ہے اور دو عادِل نے بتایا تو ان کے کہے پر ضَرور عمل کرے۔ اور اگر یہ طوافِ فرض یا واجِب نہیں مَثَلاً طَوافِ قُدوم (کہ یہ قارِن و مُفرِد کیلئے سُنَّتِ مُؤَکدہ ہے) یا کوئی نفلی طَواف ہے تو ایسے موقع پر گُمانِ غالِب پر عمل کیجئے۔ (رَدُّالمُحتار ج ۳ ص ۵۸۲)

دورانِ طواف وُضو ٹوٹ جائے تو کیا کرے؟

سُوال: اگر تیسرے پَھیرے میں وُضو ٹوٹ گیا اور نیا وُضو کرنے چلے گئے تو اب

واپَس آ کر کس طرح طواف شُروع کریں؟

جواب: چاہیں تو ساتوں پَھیرے نئے سِرے سے شُروع کریں اور یہ بھی اِختِیار ہے کہ جہاں سے چھوڑا وَہیں سے شُروع کریں۔ **چار** سے کم کا یِہی حُکم ہے۔ ہاں چار یا زِیادہ پَھیرے کرلئے تھے تو اب نئے سِرے سے نہیں کرسکتے جہاں سے چھوڑا تھا وَہیں سے کرنا ہوگا۔ ''حَجَرِ اَسوَد'' سے بھی شُروع کرنے کی ضَرورت نہیں۔ (دُرِّمُختار و رَدُّالمُحتار ج ۳ ص ۵۸۲)

قَطْرے کے مریض کے طَواف کا اَہم مسئَلہ

سُوال: اگر کوئی قَطْرے وغیرہ کی بیماری کی وجہ سے ''معذورِ شَرْعی'' ہو، طواف کیلئے اُس کا وُضو کب تک کارآمد رہتا ہے؟

جواب: جب تک اُس نَماز کا وَقْت باقی رہتا ہے۔ **صَدْرُ الشَّریعہ** رَحمَۃُ اللہِ تعالٰی علیہ فرماتے ہیں: معذور طَواف کررہا ہے چار پَھیروں کے بعد وَقْتِ نَماز جاتا رہا تو اب اسے حُکْم ہے کہ وُضو کرکے طَواف کرے کیونکہ وَقْتِ نَماز خارِج ہونے سے معذور کا وُضو جاتا رہتا ہے اور بِغیر وُضو طَواف حرام اب وُضو کرنے کے بعد جو باقی ہے پورا کرے اور چار پَھیروں سے پہلے وَقْت خَتْم ہوگیا جب بھی وُضو کرکے باقی کو پورا کرے اور اس صورت میں افضل یہ

ہے کہ سرے سے کرے۔ (بہارِ شریعت ج ۱ ص ۱۱۰۱، اَلْمَسْلَکُ الْمُتَقَسِّط ص ١٦٧)

صِرْف قَطْرے آجانے سے کوئی معذورِ شرعی نہیں ہو جاتا، اس میں کافی تفصیل ہے اِس کی معلومات کیلئے دعوتِ اسلامی کے اِشاعتی اِدارے مکتبۃُ المدینہ کی مطبوعہ 499 صَفْحات پر مشتمل کتاب، ''نَماز کے اَحکام'' صَفْحہ 43 تا 46 کا مُطالَعہ کیجئے۔

عورت نے باری کے دنوں میں نَفْلی طواف کر لیا تو؟

سُوال: عورت نے باری کے دنوں میں نَفْلی طواف کرلیا، کیا حُکْم ہے؟

جواب: گنہگار بھی ہوئی اور دَم بھی واجب ہوا۔ چُنانچِہ علّامہ شامی قُدِّسَ سِرُّہُ السّامی فرماتے ہیں: نَفْلی طواف اگر جَنابت کی (یعنی بے غُسلی) حالت میں (یا عورت نے باری کے دِنوں میں) کیا تو دَم واجِب ہے اور بے وُضو کیا تو صَدَقہ۔ (رَدُّالْمُحتار ج ۳ ص ٦٦١) اگر بے غُسلے نے پاکی حاصل کرنے کے اور بے وُضو نے وُضو کرنے کے بعد طواف کا اِعادہ کرلیا تو کفّارہ ساقِط ہو جائے گا۔ مگر قصْداً ایسا کیا ہو تو توبہ کرنی ہوگی کیوں کہ باری کے دِنوں میں نیز بے وُضو طَواف کرنا گناہ ہے۔

سُوال: طَواف میں آٹھویں پھیرے کو ساتواں گُمان کیا اب یاد آ گیا کہ یہ تو آٹھواں

پھیرا ہے اب کیا کرے؟

جواب: اِسی پر طواف خَتْم کر دیجئے۔ اگر جان بوجھ کر آٹھواں پھیرا شُروع کیا تو یہ ایک جدید (یعنی نیا) طواف شُروع ہوگیا اب اس کے بھی سات پھیرے پورے کیجئے۔ (ایضاً ص ۵۸۱)

سُوال: عُمرے کے طَواف کا ایک پَھیرا چھوٹ گیا تو کیا کفّارہ ہے؟

جواب: عُمرے کا طَواف فرض ہے۔ اِس کا اگر ایک پَھیرا بھی چھوٹ گیا تو دَم واجِب ہے، اگر بِالکل طَواف نہ کیا یا اکثر (یعنی چار پھیرے) تَرک کئے تو کفّارہ نہیں بلکہ ان کا ادا کرنا لازِم ہے۔ (لُبابُ الْمَناسِك ص ۳۰۳)

سُوال: قارِن یا مُفرِد نے طَوافِ قُدوم تَرک کیا تو کیا سزا ہے؟

جواب: اُس پر کوئی کفّارہ نہیں لیکن سُنّتِ مُؤَکَّدہ کا تارِک ہوا اور بُرا کیا۔

(لُبابُ الْمَناسِك والْمَسْلَكُ الْمُتَقَسِّط ص ۳۵۲)

مسجِدُ الْحرام کی پہلی یا دوسری منزل سے طَواف کا مسئلہ

سُوال: مسجِدُ الْحرام کی چھتوں سے طَواف کر سکتے ہیں یا نہیں؟

جواب: اگر مسجِد حرام کی چھت سے کعبہ مقدّسہ کا طَواف ہو تو فرض طَواف ادا ہو جائے گا جب کہ درمیان میں دیوار وغیرہ حاجِب (آڑ۔ پردہ) نہ ہو۔ لیکن اگر

نیچے مَطاف میں گنجائش ہے تو چھت سے طَواف مکروہ ہے اس لیے کہ اس صورت میں بلاضَرورت مسجِد کی چھت پر چڑھنا اور چلنا پایا جاتا ہے جو مکروہ ہے۔ ساتھ ہی اس حالت میں طَواف، کعبہ سے قریب تر ہونے کے بجائے بُہت دُور ہو رہا ہے اور بلا وجہ اپنے کو سخت مَشَقَّت اور تکان میں ڈالنا بھی ہوتا ہے، جب کہ قریب تر مَقام سے طَواف کرنا افضل ہے اور بلا وجہ اپنے کو مَشَقَّت میں ڈالنا منع۔ ہاں اگر نیچے گنجائش نہ ہو یا گنجائش ہونے تک اِنتِظار سے کوئی مانِع (یعنی رکاوٹ) ہو تو چھت سے طَواف بلا کراہت جائز ہے۔

وَاللّٰہ تَعالٰی اَعلم۔ (ماہنامہ اشرفیہ، جون ۲۰۰۵ء، گیارھواں فقہی سمینار ص ١٤)

دَورانِ طَواف بُلند آواز سے مُناجات پڑھنا کیسا؟

سُوال: دَورانِ طَواف بُلند آواز سے دُعا مُناجات یا نعت شریف وغیرہ پڑھنا کیسا؟

جواب: اتنی اونچی آواز سے پڑھنا جس سے دیگر طَواف کرنے والوں یا نمازیوں کو تشویش یعنی پریشانی ہو مکروہِ تحریمی، ناجائز و گناہ ہے۔ البتّہ کسی کو اِیذا نہ ہو اس طرح گنگنانے یعنی دھیمی آواز سے پڑھنے میں حَرَج نہیں۔ یہاں وہ صاحِبان غور فرمائیں جن کے **موبائل فونز** سے دورانِ طواف ٹُونز بجتی رہتیں اور عبادت گزاروں کو پریشان کرتی رہتی ہیں ان سب کو چاہئے کہ توبہ کریں۔

یاد رکھئے! یہ اَحکام صِرف ''مسجِدُ الحرام'' کے لئے ہی نہیں **تمام مساجِد بلکہ** تمام مَقامات کیلئے ہیں اور میوزیکل ٹُون مسجِد کے علاوہ بھی ناجائز ہے۔

اِضْطِباع اور رَمَل کے بارے میں سُوال وجواب

سُوال: اگر سَعْی سے قَبْل کئے جانے والے طواف کے پہلے پھیرے میں رَمَل کرنا بُھول گئے تو کیا کرنا چاہیے؟

جواب: رَمَل صِرف ابتِدائی تین پَھیروں میں سنّت ہے، ساتوں میں کرنا مکروہ، لہٰذا اگر پہلے میں نہ کیا تو دوسرے اور تیسرے میں کرلیجئے اور اگر ابتِدائی دو پھیروں میں رَہ گیا تو صِرف تیسرے میں کرلیجئے اور اگر شُروع کے تینوں پَھیروں میں نہ کیا تو اب بَقِیَّہ چار پَھیروں میں نہیں کرسکتے۔

(دُرِّمُختار و رَدُّالْمُحتار ج۳ ص۵۸۳)

سُوال: جس طواف میں اِضْطِباع اور رَمَل کرنا تھا اُس میں نہ کیا تو کیا کفّارہ ہے؟

جواب: کوئی کفّارہ نہیں۔ البتّہ عظیم سُنَّت سے مَحرومی ضَرور ہے۔

سُوال: اگر کوئی ساتوں پَھیروں میں رَمَل کرلے تو؟

جواب: مکروہِ تنزیہی ہے۔ (رَدُّالْمُحتار ج۳ ص۵۸٤) مگر کوئی جُرمانہ وغیرہ نہیں۔

بَوس وکَنار کے بارے میں سُوال وجواب

سُوال: اِحْرام کی حالت میں بیوی کو ہاتھ لگانا کیسا؟

جواب : بیوی کو بلا شَہوَت ہاتھ لگانا جائز ہے مگر شَہوَت کے ساتھ ہاتھ میں ہاتھ ڈالنا یا بدن کو چُھونا حرام ہے۔ اگر شَہوَت کی حالت میں بوس و کِنار کیا یا جِسْم کو چُھوا تو دَم واجِب ہوجائے گا۔ یہ اَفعال عورت کے ساتھ ہوں یا اَمْرَد کے ساتھ دونوں کا ایک ہی حُکْم ہے۔ (دُرِّمُختار و رَدُّالمُحتار ج ۳ ص ٦٦٧) اگر مُحْرِمہ کو بھی مَرْد کے اِن اَفعال سے لذّت آئے تو اُسے بھی دَم دینا پڑے گا۔ (بہارِ شریعت ج۱ص ۱۱۷۳)

سُوال : اگر تصوُّر جم جائے یا شَرْمگاہ پر نظر پڑ جائے اور اِنزال ہو (یعنی منی نکل جائے) تو کیا کفّارہ ہے؟

جواب : اِس صورت میں کوئی کفّارہ نہیں۔ (عالمگیری ج۱ص ۲٤٤) رہا حرام کردہ عورَت یا اَمْرَد سے بدنِگاہی کرنا یا قصداً اُن کا ''گندا'' تصوُّر باندھنا یہ اِحْرام کے علاوہ بھی حرام اور جہنّم میں لے جانے والا کام ہے۔ نیز اس طرح کے گندے وَسوَسے بھی آئیں تو مَعَاذَاللّٰہ لطف اندوز ہونے کے بجائے فوراً توجُّہ ہٹائے۔ اِسی طرح عورَتوں کیلئے بھی یِہی اَحکام ہیں۔

سُوال : اگر اِحتِلام ہوجائے تو؟

جواب : کوئی کفّارہ نہیں۔ (عالمگیری ج۱ص ۲٤٤)

سُوال: اگر خُدا نخواستہ کوئی مُحرِم مُشت زَنی (ہینڈ پریکٹس) کا مُرتکِب ہُوا تو کیا کفّارہ ہے؟

جواب: اگر اِنزال ہوگیا (یعنی منی نکل گئی) تو دَم واجِب ہے ورنہ مکرُوہ۔ (ایضاً) یہ فعل، خواہ اِحرام ہو یا نہ ہو بہَر حال ناجائز وحرام اور جہنَّم میں لے جانے والا کام ہے۔ اعلیٰ حضرت امام احمد رضا خان عَلَیْہِ رَحْمَۃُ الرَّحْمٰن فرماتے ہیں: جو مُشت زَنی (یعنی ہینڈ پریکٹس Hand practic) کرتے ہیں اگر وہ بِغیر توبہ کئے مر گئے تو بروزِ قِیامت اِس حال میں اُٹھیں گے کہ ان کی ہتھیلیاں گابھن (یعنی حامِلہ) ہوں گی جس سے لوگوں کے مجمعِ کثیر میں ان کی رُسوائی ہوگی۔ (مُلَخّص ازفتاویٰ رضویہ ج۲۲ ص۲۴۴)

اِحرام میں اَمْرَد سے مُصافَحہ کیا اور......؟

سُوال: اگر اَمْرَد (یعنی خوبصورت لڑکے) سے مُصافَحہ کیا اور شَہْوَت آ گئی تو کیا سزا ہے؟

جواب: دَم واجِب ہوگیا۔ اس میں اَمْرَد[1] اور غیرِ اَمْرَد کی کوئی قید نہیں، اگر دونوں کو شَہْوَت ہوئی اور دوسرا بھی مُحْرِم ہے تو وہ بھی دَم دے۔

---

[1] وہ لڑکا یا اَمْرَد جس کو دیکھنے یا چھونے سے شَہْوَت آتی ہو اِحْرام ہو یا نہ ہو اس سے دُور رہنا لازمی ہے۔ اگر مُصافَحہ کرنے یا اسے چُھونے یا اس کے ساتھ گفتگو کرنے سے شَہْوَت بھڑکتی ہو تو اب اس کے ساتھ یہ اَفعال کرنے جائز نہیں۔ اس کی تفصیلی معلومات کیلئے دعوتِ اسلامی کے اِشاعَتی اِدارے مکتبۃُ المدینہ کا مطبوعہ رسالہ، ''قومِ لُوط کی تباہ کاریاں'' (45 صَفْحات) پڑھیے۔

میاں بیوی کا ہاتھ میں ہاتھ ڈال کر چلنا

سُوال : اِحْرام میں میاں بیوی کے ایک دوسرے کا ہاتھ پکڑ کر طَواف یا سَعْی کرنے میں اگر شَہْوَت آ گئی تو؟

جواب : جس کو شَہْوَت آئی اُس پر دَم واجِب ہے اگر دونوں کو آ گئی تو دونوں پر ہے۔ اگر اِحْرام والے مردوں نے ایک دوسرے کا ہاتھ پکڑا ہو جب بھی یِہی حُکْم ہے۔

ناخُن تَراشنے کے بارے میں سُوال وجواب

سُوال: مسئلہ معلوم نہیں تھا اور دونوں ہاتھوں اور دونوں پاؤں کے ناخُن کاٹ لئے اب کیا ہوگا؟ اگر کَفّارہ ہو تو وہ بھی بتا دیجئے۔

جواب: جاننا یا نہ جاننا یہاں عُذْر نہیں ہوتا، خواہ بھول کر جُرْم کریں یا جان بوجھ کر اپنی مرضی سے کریں یا کوئی زبردستی کروائے کَفّارہ ہر صورت میں دینا ہوگا۔ صَدْرُ الشَّریعہ رَحْمۃُ اللہِ تعالٰی علیہ فرماتے ہیں: ایک ہاتھ ایک پاؤں کے پانچوں ناخُن کترے یا بیسوں ایک ساتھ تو ایک دَم ہے اور اگر کسی ہاتھ یا پاؤں کے پورے پانچ نہ کترے تو ہر ناخُن پر ایک صَدَقہ، یہاں تک کہ اگر چاروں ہاتھ پاؤں کے چار چار کترے تو سولہ صَدَقے دے مگر یہ کہ صدقوں کی قیمت ایک دَم کے برابر ہو جائے تو کچھ کم کر لے یا دَم دے

اور اگر ایک ہاتھ یا پاؤں کے پانچوں ایک جَلْسہ میں اور دوسرے کے پانچوں دوسرے جَلْسہ میں کترے تو دو دَم لازم ہیں اور چاروں ہاتھ پاؤں کے چار جلسوں میں تو چار دَم ۔ (بہارِ شریعت ج ا ص ۱۱۷۲ ، عالمگیری ج ا ص ٤٤ ٣)

سُوال: ناخن اگر دانت سے کتر ڈالے تو کیا سزا ہے؟

جواب: خواہ بلیڈ سے کاٹیں یا چاقو سے ، ناخن تَراش (یعنی نَیل کَٹَر) سے تَراشیں یا **دانتوں** سے کُتریں سب کا ایک ہی حُکم ہے ۔ (بہارِ شریعت ج ا ص ۱۱۷۲)

سُوال: مُحرِم کسی دوسرے کے ناخُن کاٹ سکتا ہے یا نہیں؟

جواب : نہیں کاٹ سکتا ، اِس کے وُہی اَحکام ہیں جو دوسروں کے بال دُور کرنے کے ہیں ۔ (اَلْمَسْلَکُ الْمُتَقَسِّط لِلقاری ص ۳۳۲)

بال دُور کرنے کے بارے میں سُوال و جواب

سُوال: اگر مَعَاذَ الله! کسی مُحرِم نے اپنی داڑھی مُنڈوا دی تو کیا سزا ہے؟

جواب: داڑھی مُنڈوانا یا خَشخَشی کروا دینا وَیسے بھی حرام اور جہنَّم میں لے جانے والا کام ہے اور اِحْرام کی حالت میں سَخْت حرام ۔ البتَّہ اِحْرام کی حالت میں سَر کے بال بھی نہیں کاٹ سکتے ۔ بہر حال دورانِ اِحْرام کے حُکم کے مُتعلِّق **صَدْرُ الشَّریعہ** رَحْمَۃُ اللّٰہِ تعالٰی علیہ **فرماتے** ہیں: سَر یا داڑھی کے چہارُم بال یا

زیادہ کسی طرح دُور کیے تو دَم ہے اور چہارُم سے کم میں **صَدَقہ** اور اگر چندلا ہے یا داڑھی میں کم بال ہیں، تو اگر چوتھائی (1/4) کی مقدار ہیں تو کُل میں دَم ورنہ صَدَقہ۔ چند جگہ سے تھوڑے تھوڑے بال لیے تو سب کا مجموعہ اگر چہارُم کو پہنچتا ہے تو دَم ہے ورنہ صَدَقہ۔ (بہارِ شریعت ج ا ص ۱۱۷۰ ، رَدُّالْمُحتار ج ۳ ص ۶۵۹)

سُوال: عورت اپنے بال لے سکتی ہے یا نہیں؟

جواب: نہیں۔ عورَت اگر پورے سَر یا چوتھائی (1/4) سَر کے بال ایک پَورے کے برابر کُتر لے تو دَم دے اور کم میں **صَدَقہ**۔ (لُبابُ الْمَناسِك ص ۳۲۷)

سُوال: مُحرِم نے گردن یا بَغَل یا موئے زیرِ ناف لے لئے تو کیا حُکم ہے؟

جواب: پوری گردن یا پوری ایک بَغَل میں دَم ہے اور کم میں صَدَقہ اگرچہ نصف یا زیادہ ہو۔ یہی حُکم زیرِ ناف کا ہے۔ دونوں بَغلیں پوری مونڈائے جب بھی ایک ہی دَم ہے۔ (بہارِ شریعت ص ۱۱۷۰، دُرِّمُختار و رَدُّالْمُحتار ج ۳ ص ۶۵۹)

سُوال: سَر، داڑھی، بَغلیں وغیرہ سب ایک ہی مجلس میں مُنڈوا دیئے تو کتنے کفّارے ہوں گے؟

جواب: خواہ سَر سے لے کر پاؤں تک سارے بدن کے بال ایک ہی مجلس میں مُنڈوائیں تو ایک ہی کفّارہ ہے۔ اگر الگ الگ اَعضا کے الگ الگ مجلس میں مُنڈوائیں

گے تو اُتنے ہی کفّارے ہوں گے۔(دُرِّمُختار و رَدُّالمُحتار ج ۳ ص ۶۵۹۔۶۶۱)

سُوال: اگر وُضو کرنے میں بال جھڑتے ہوں تو کیا اِس پر بھی کفّارہ ہے؟

جواب: کیوں نہیں! وُضو کرنے میں، کُھجانے میں یا کنگھا کرنے میں اگر دو یا تین بال گرے تو ہر بال کے بدلے میں ایک ایک مُٹّھی اَناج یا ایک ایک ٹکڑا روٹی یا ایک چُھوارا خیرات کریں اور تین سے زِیادہ گرے تو **صَدَقہ** دینا ہوگا۔ (بہارِ شریعت ج ۱ ص ۱۱۷۱)

سُوال: اگر کھانا پکانے میں چُولہے کی گرمی سے کچھ بال جل گئے تو؟

جواب: صَدَقہ دینا ہوگا۔ (ایضاً)

سُوال: مونچھ صاف کروادی، کیا کفّارہ ہے؟

جواب: مونچھ اگرچہ پوری مُنڈوائیں یا کتَروائیں **صَدَقہ** ہے۔ (ایضاً)

سُوال: اگر سینے کے بال مُنڈوا دیئے تو کیا کرے؟

جواب: سَر، داڑھی، گردن، بَغَل اور مُوئے زیرِ ناف کے علاوہ باقی اَعضا کے بال مُنڈوانے میں صِرْف **صَدَقہ** ہے۔ (ایضاً)

سُوال: بال جھڑنے کی بیماری ہو اور خود بخود بال جھڑتے ہوں تو اس پر کوئی رِعایت؟

جواب: اگر بغیر ہاتھ لگائے بال گر جائیں یا بیماری سے تمام بال بھی جَھڑ جائیں تو

کوئی کفّارہ نہیں۔ (ایضاً)

سُوال: مُحْرِم نے دوسرے مُحْرِم کا سر مُونڈا تو کیا سزا ہے؟

جواب: اگر اِحْرام کھولنے کا وَقت آ گیا ہے۔ تو اب دونوں ایک دوسرے کے بال مُونڈ سکتے ہیں۔ اور اگر وَقت نہیں آیا تو اِس پر کفّارے کی صورت مختلف ہے۔

اگر مُحْرِم نے مُحْرِم کا سَر مُونڈا تو جس کا سَر مونڈا گیا اُس پر تو کفّارہ ہے ہی، مُونڈنے والے پر بھی صَدَقہ ہے اور اگر مُحْرِم نے غیرِ مُحْرِم کا سَر مُونڈا یا مونچھیں لیں یا ناخُن تراشے تو مساکین کو کچھ خیرات کردے۔ (بہارِ شریعت ج ۱ ص ۱۱۴۲، ۱۱۷۱)

سُوال: غیرِ مُحْرِم، مُحْرِم کا سَر مُونڈ سکتا ہے یا نہیں؟

جواب: وَقت سے پہلے نہیں مُونڈ سکتا، اگر مُونڈے گا تو مُحْرِم پر تو کفّارہ ہے ہی، غیرِ مُحْرِم کو بھی صَدَقہ دینا ہوگا۔ (ایضاً ۱۱۷۱)

سُوال: اگر بال صَفا پاوَڈر یا CREAM سے بال صاف کئے تو کیا مسئلہ ہے!

جواب: بہارِ شریعت میں ہے: مُونڈنا، کترنا، موچنے سے لینا یا کسی چیز سے بال اُڑانا، سب کا ایک حُکم ہے۔ (ایضاً)

خُوشبو کے بارے میں سُوال وجواب

سُوال: اِحْرام کی حالت میں عِطْر کی شیشی ہاتھ میں لی اور ہاتھ میں خوشبو لگ گئی تو

کیا کَفّارہ ہے؟

جواب: اگر لوگ دیکھ کر کہیں کہ یہ بَہُت سی خوشبو لگ گئی ہے اگرچہ عُضْو کے تھوڑے سے حصّے میں لگی ہو تو دَم واجِب ہے ورنہ معمولی سی خوشبو بھی لگ گئی تو صَدَقہ ہے۔ (ماخوذ از بہارِ شریعت ج ۱ ص ۱۱۶۳)

سُوال: سَر میں خوشبودار تیل ڈال لیا تو کیا کرے؟

جواب: اگر کوئی بڑا عُضْو مَثَلاً ران، مُنہ، پِنڈلی یا سَر سارے کا سارا خوشبو سے آلودہ ہو جائے خواہ خوشبودار تیل کے ذَرِیْعے ہو یا عِطْر سے، دَم واجِب ہو جائے گا۔ (ایضاً)

سُوال: بچھونے یا اِحْرام کے کپڑے پر خوشبو لگ گئی یا کسی نے لگا دی تو؟

جواب: خوشبو کی مقدار دیکھی جائے گی، زیادہ ہے تو دَم اور کم ہے تو صَدَقہ۔

سُوال: جو کمرہ (ROOM) رہائش کیلئے مِلا اُس میں کارپیٹ، بچھونا، تکیہ، چادر وغیرہ خوشبودار ہوں تو کیا کرے؟

جواب: مُحْرِم ان چیزوں کے استِعمال سے بچے۔ اگر اِحتِیاط نہ کی اور اِن سے خوشبو چھوٹ کر بدن یا اِحْرام پر لگ گئی تو زیادہ ہونے کی صورت میں دَم اور کم میں صَدَقہ واجِب ہوگا۔ اور اگر نہ لگے تو کوئی کَفّارہ نہیں مگر اِس

صورت میں بچنا بہتر ہے۔ مُحْرِم کو چاہئے مکان والے سے مُتبادِل انتِظام کا کہے، یہ بھی ہوسکتا ہے کہ فرش اور بچھونے وغیرہ پر کوئی بے خوشبو چادر بچھا لے، تکیے کا غِلاف (cover) تبدیل کرلے یا اُسے کسی بے خوشبو چادر میں لپیٹ لے۔

سُوال: جو خوشبو نیّتِ اِحْرام سے پہلے بدن پر لگائی تھی کیا نیّتِ اِحْرام کے بعد اُس خوشبو کو زائل (دُور) کرنا ضَروری ہے؟

جواب: نہیں، **صَدْرُ الشَّریعہ** رَحْمَۃُ اللہِ تعالٰی علیہ فرماتے ہیں: اِحْرام سے پہلے بدن پر خوشبو لگائی تھی، اِحْرام کے بعد پھیل کر اور اَعضا کو لگی تو کَفّارہ نہیں۔ (بہارِ شریعت ج ۱ ص ۱۱۶۳)

سُوال: اِحْرام کی نیّت سے پہلے گلے میں جو بیگ تھا اُس میں یا بیلٹ کی جَیب میں عِطْر کی شیشی تھی، نیّت کے بعد یاد آنے پر اُسے نکالنا ضَروری ہے یا رہنے دیں؟ اگر اِسی شیشی کی خوشبو ہاتھ میں لگ گئی تب بھی کَفّارہ ہوگا؟

جواب: اِحْرام کی نیّت کے بعد وہ عِطْر کی شیشی بیگ یا بیلٹ سے نکالنا ضَروری نہیں اور بعد میں اُس شیشی کی خوشبو ہاتھ وغیرہ پر لگ گئی تو کَفّارہ لازم آئے گا، کیونکہ یہ وہ خوشبو نہیں جو اِحْرام کی نیّت سے پہلے کپڑے یا بدن پر لگائی گئی ہو۔

سُوال: گلے میں نیّت سے پہلے جو بیگ پہنا وہ خوشبودار تھا، نیز اس کے اندر خوشبودار رُومال یا خوشبو والی طواف کی تسبیح وغیرہ بھی موجود، ان کا مُحرِم اِستِعمال کر سکتا ہے یا نہیں؟

جواب: ان چیزوں کی خوشبو قَصْداً (یعنی جان بوجھ کر) سونگھنا مکروہ ہے اور اس اِحتِیاط کے ساتھ استِعمال کی اِجازت ہے کہ اگر اس کی تری باقی ہے تو اتر کر اِحْرام اور بدن کو نہ لگے لیکن ظاہر ہے کہ تسبیح میں ایسی اِحتِیاط کرنا نہایت مشکل ہے بلکہ رومال میں بھی بچنا مشکل ہے۔ لہٰذا ان کے استِعمال سے بچنے میں ہی عافِیَت ہے۔

سُوال: اگر دو تین زائد خوشبودار چادریں نیّت سے قَبْل گود میں رکھ لے یا اَوڑھ لے اب اِحْرام کی نیّت کرے۔ نیّت کے بعد زائد چادریں ہٹا دے، اُسی اِحْرام کی حالت میں اب اُن چادروں کا استِعمال کرنا کیسا؟

جواب: اگر تری باقی ہے تو ان کو استِعمال کی اجازت نہیں اور اگر تری خَتْم ہو چکی ہے صِرْف خوشبو باقی ہے تو استِعمال کی اِجازت ہے مگر مکروہِ (تنزیہی) ہے۔ صَدْرُالشَّریعہ رَحْمَۃُ اللہِ تعالٰی علیہ فرماتے ہیں: اگر اِحْرام سے پہلے بسایا (یعنی خوشبودار کیا) تھا اور اِحْرام میں پہنا تو مکروہ ہے مگر کفّارہ نہیں۔ (ایضاً ص ۱۱۶۵)

سُوال: اِحتِلام ہوگیا یا کسی وجہ سے اِحْرام کی ایک یا دونوں چادریں ناپاک ہوگئیں اب دوسری چادریں موجود تو ہیں مگر اُن میں پہلے کی خوشبو لگی ہوئی ہے، اُنھیں پہن سکتے ہیں یا نہیں؟

جواب: اگر خوشبو کی تری یا جِرْم (یعنی عَین ِجسْم) ابھی تک باقی ہے تو ان چادروں کو پہننے سے کفّارہ لازم آئے گا۔ اور اگر جِرْم خَتْم ہو چکا ہے صرف خوشبو باقی ہے تو پھر مُحْرِم وہ چادریں استِعمال کر سکتا ہے۔ ہاں بلاعُذْر ایسی چادریں استِعمال کرنا مکروہِ تنزیہی ہے۔ فُقَہائے کرام رَحِمَهُمُ اللّٰهُ السَّلام فرماتے ہیں: جس کپڑے پر خوشبو کا جِرْم (یعنی عَین ِجسْم) باقی ہوا سے اِحْرام میں پہنا، ناجائز ہے۔ (عالمگیری ج ۱ ص ۲۴۲) بہارِ شریعت میں ہے: "اگر اِحْرام سے پہلے بسایا تھا اور اِحْرام میں پہنا تو مکروہ ہے مگر کفّارہ نہیں۔"

(بہارِ شریعت ج ۱ ص ۱۱٦۵)

سُوال: اِحْرام کی حالت میں حَجَرِ اَسْوَد کا بوسہ لینے یا رُکْن یَمانی کو چُھونے یا مُلتَزَم سے لپٹنے میں اگر خوشبو لگ گئی تو کیا کریں؟

جواب: اگر بَہُت سی لگ گئی تو دَم اور تھوڑی سی لگی تو صَدَقہ۔ (ایضاً ص ۱۱٦٤) (جہاں جہاں خوشبو لگ جانے کا مسئلہ ہے وہاں کم ہے یا زیادہ اس کا فیصلہ دوسروں سے

کروانا ہے۔ چونکہ زیادہ خوشبو لگ جانے پر دَم ہے لٰہذا ہوسکتا ہے اپنا نفس زیادہ خوشبو کو بھی تھوڑی ہی کہے)

سُوال: مُحرِم جان بوجھ کر خوشبودار پھول سونگھ سکتا ہے یا نہیں؟

جواب: نہیں۔ مُحرِم کا بالقصد (یعنی جان بوجھ کر) خوشبو یا خوشبودار چیز سونگھنا مکروہِ تنزیہی ہے، مگر کفّارہ نہیں۔ (ایضاً ۱۱۶۳)

سُوال: بے پکائی اِلائچی یا چاندی کے وَرَق والے الائچی کے دانے کھانا کیسا؟

جواب: حرام ہے۔ اگر خالص خوشبو، جیسے مُشک، زَعفران، لونگ، اِلائچی، دار چینی، اِتنی کھائی کہ مُنہ کے اکثر حصّے میں لگ گئی تو دَم واجِب ہوگیا اور کم میں صَدَقہ۔ (ایضاً ۱۱٦٤)

سُوال: خوشبودار زَرْدہ، بریانی اور قورمہ، خوشبو والی سونف، چھالیہ، کریم والے بسکٹ، ٹافیاں وغیرہ کھاسکتے ہیں یا نہیں؟

جواب: جو خوشبو کھانے میں پکالی گئی ہو، چاہے اب بھی اُس سے خوشبو آرہی ہو، اُسے کھانے میں مُضایَقہ نہیں۔ اِسی طرح خوشبو پکاتے وَقْت تو نہیں ڈالی تھی اُوپر ڈال دی تھی مگر اب اُس کی مَہَک اُڑ گئی اُس کا کھانا بھی جائز ہے، اگر بغیر پکائی ہوئی خوشبو کھانے یا مَعْجون وغیرہ دوا میں مِلا دی گئی تو

اب اُس کے اَجزاء غذا یا دوا وغیرہ بے خوشبو اَشیاء کے اَجزاء سے زِیادہ ہیں تو وہ خالِص خوشبو کے حُکم میں ہے اور کَفّارہ ہے کہ مُنہ کے اَکثر حصّے میں خوشبو لگ گئی تو دَم اور کم میں لگی تو صَدَقہ اور اگر اَناج وغیرہ کی مقدار زِیادہ ہے اور خالِص خوشبو کم تو کوئی کَفّارہ نہیں، ہاں خالِص خوشبو کی مَہَک آتی ہو تو مکرُوہِ تنزیہی ہے۔

سُوال: خوشبودار شربت، فروٹ جوس، ٹھنڈی بوتلیں وغیرہ پینا کیسا ہے؟

جواب: اگر خالِص خوشبو جیسے صندل وغیرہ کا شربت ہے تو وہ شربت تو پکا کر ہی بنایا جاتا ہے، لہٰذا مُطْلَقًا پینے کی اجازت ہے اور اگر اس کے اندر خوشبو پیدا کرنے کے لیے کوئی ایسنس (Essense) ڈالا جاتا ہے تو میری معلومات کے مُطابق اس کے ڈالنے کا طریقہ یہ ہے کہ پکائے جانے والے شربت میں اُس کے ٹھنڈا ہونے کے بعد ڈالا جاتا ہے اور یقیناً یہ قلیل مقدار میں ہوتا ہے تو اس کا حُکم یہ ہے کہ اگر اُسے تین بار یا زِیادہ پیا تو دَم ہے ورنہ صَدَقہ۔ بہارِ شریعت میں ہے: ''پینے کی چیز میں اگر خوشبو مِلائی اگر خوشبو غالِب ہے (تو دم ہے) یا خوشبو کم ہے مگر اُسے تین بار یا زِیادہ پیا تو دَم ہے ورنہ صَدَقہ۔'' (بہارِ شریعت ج۱ ص۱۱۶۵)

سُوال: مُحْرِم نارِیَل کا تیل سَر وغیرہ میں لگا سکتا ہے یا نہیں؟

جواب : کوئی حَرَج نہیں، البتّہ تِل اور زیتون کا تیل خوشبو کے حُکْم میں ہے۔ اگرچہ اِن میں خوشبو نہ ہو یہ جِسْم پر نہیں لگا سکتے۔ ہاں، اِن کے کھانے، ناک میں چڑھانے، زَخْم پر لگانے اور کان میں ٹپکانے میں کَفّارہ واجِب نہیں۔ (ایضاً ۱۱۶۶)

سُوال: اِحْرام کی حالت میں آنکھوں میں خوشبو دار سُرمہ لگانا کیسا ہے؟

جواب: حرام ہے۔ صَدْرُ الشَّریعہ، بَدْرُ الطَّریقہ حضرتِ علّامہ مولانا مفتی محمد امجد علی اعظمی عَلَیْہِ رَحْمَۃُ اللہِ القَوِی فرماتے ہیں: خوشبو دار سُرمہ ایک یا دو بار لگایا تو صَدَقہ دے، اس سے زیادہ میں دَم اور جس سُرمے میں خوشبو نہ ہو اُس کے استِعمال میں حَرَج نہیں، جب کہ بَضَرورت ہو اور بلاضَرورت مکروہ (وخلافِ اَولیٰ)۔ (ایضاً ۱۱۶۴)

سُوال: خوشبو لگالی اور کَفّارہ بھی دے دیا تو اب لگی رہنے دیں یا کیا کریں؟

جواب : خوشبو لگانا جب جُرْم قرار پایا تو بدن یا کپڑے سے دُور کرنا واجِب ہے اور کَفّارہ دینے کے بعد اگر زائل (یعنی دُور) نہ کیا تو پھر دَم وغیرہ واجِب ہوگا۔ (ایضاً ۱۱۶۶)

اِحْرام میں خوشبو دار صابُن کا استِعمال

سُوال: حِجازِ مقدّس کے ہوٹلوں میں خوشبودار صابُن، مُعطّر شیمپو اور خوشبو والے

پاؤڈر ہاتھ دھونے کے لیے رکھے جاتے ہیں اور اِحْرام والے بلا تکلُّف ان کو استعمال کرتے ہیں، طیارے میں اور ایئر پورٹ پر بھی اِحْرام والوں کو یہی ملتا ہے، کپڑے اور برتن دھونے کا پاؤڈر بھی حجازِ مقدّس میں خوشبودار ہی ہوتا ہے۔ان چیزوں کے بارے میں حُکمِ شَرْعی کیا ہے؟

جواب: اِحْرام والے ان چیزوں کو استعمال کریں تو کوئی کفارہ لازِم نہیں آئے گا۔ (البتّہ خوشبو کی نیّت سے ان چیزوں کا استِعمال مکروہ ہے۔)(ماخوذ از: احرام اور خوشبودار صابُن)[1]

مُحْرِم اور گلاب کے پھولوں کے گجرے

سُوال: اِحْرام کی نیّت کر لینے کے بعد ایئر پورٹ وغیرہ پر گلاب کے پھولوں کا گجرا پہنا جاسکتا ہے یا نہیں؟

جواب: اِحْرام کی نیّت کے بعد گلاب کا ہار نہ پہنا جائے، کیونکہ گلاب کا پھول خود عَین (خالص) خوشبو ہے اور اس کی مَہَک بدن اور لباس میں بَس بھی جاتی ہے۔ چُنانچہ اگر اس کی مَہَک لباس میں بس گئی اور کثیر (یعنی زیادہ)

[1] دعوتِ اسلامی کی مجلس "تحقیقاتِ شرعیہ" نے امت کی رہنمائی کیلئے اتِّفاق رائے سے یہ فتویٰ مُرتّب فرمایا، مزید تین مقتدر علماءِ اہلسنت (۱) مفتیِ اعظم پاکستان علامہ عبدالقیوم ہزاروی (۲) شَرَفِ ملّت حضرت علّامہ محمد عبدالحکیم شرف قادری اور (۳) فیضِ مِلّت حضرت علامہ فیض احمد اُوَیسی (رَحِمَھُمُ اللہُ تعالیٰ) کی تصدیق حاصل کی اور مکتبۃ المدینہ نے بنام "اِحرام اور خوشبودار صابن" یہ رسالہ شائع کیا۔ تفصیلات کے شائقین اِسے حاصل کریں یا دعوتِ اسلامی کی ویب سائٹ :www.dawateislami.net پر مُلاحظہ فرمائیں۔

ہے اور چار پَہَر یعنی بارہ گھنٹے تک اس کپڑے کو پہنے رہا تو دَم ہے ورنہ صَدَقہ اور اگر خوشبو تھوڑی ہے اور کپڑے میں ایک بالِشت یا اس سے کم (حصّے) میں لگی ہے اور چار پَہَر تک اسے پہنے رہا تو ''صَدَقہ'' اور اس سے کم پہنا تو ایک مُٹّھی گندُم دینا **واجب** ہے۔ اور اگر خوشبو قلیل (یعنی تھوڑی) ہے، لیکن بالِشت سے زیادہ حصّے میں ہے، تو کثیر (یعنی زیادہ) کا ہی حُکم ہے یعنی چار پَہَر میں ''دَم'' اور کم میں ''صَدَقہ'' اور اگر یہ ہار پہننے کے باوُجود کوئی مَہَک کپڑوں میں نہ بسی تو کوئی کَفّارہ نہیں۔ (اِحْرام اور خوشبودار صابُن ص۳۵ تا ۳۶)

سُوال: کسی سے مُصافَحہ کیا اور اُس کے ہاتھ سے مُحْرِم کے ہاتھ میں خوشبو لگ گئی تو؟

جواب: اگر خوشبو کا عَین لگا تو ''کَفّارہ'' ہوگا اور اگر عَین نہ لگا بلکہ ہاتھ میں صِرْف مَہَک آئی، تو کوئی کفّارہ نہیں کہ اس مُحْرِم نے خوشبو کے عَین سے نَفْع نہ اٹھایا، ہاں اس کو چاہیے کہ ہاتھ کو دھو کر اس مَہَک کو زائل کر دے۔ (ایضاً ص۳۵)

سُوال: خوشبودار شیمپو سے سر یا داڑھی دھو سکتے ہیں یا نہیں؟

جواب: رسالہ'' اِحْرام اور خوشبودار صابُن'' صَفْحہ 25 تا 28 سے بعض اِقْتِباسات مُلاحَظہ ہوں: **شیمپو** اگر سر یا داڑھی میں استعمال کیا جائے، تو خوشبو کی مُمانَعَت کی عِلّت (یعنی وجہ) پر غور کے نتیجے میں اس کی مُمانَعَت

کا حُکم ہی سمجھ میں آتا ہے، بلکہ کفّارہ بھی ہونا چاہیے، جیسا کہ خِطْمِی (خوشبودار بُوٹی) سے سَر اور داڑھی دھونے کا حُکم ہے کہ یہ بالوں کو نَرم کرتا ہے اور جُوئیں مارتا ہے اور مُحرِم کے لیے یہ ناجائز ہے۔ ''دُرِّمُختار'' میں ہے: سَر اور داڑھی کو خِطْمی سے دھونا (حرام ہے) کیونکہ یہ خوشبو ہے یا جُوؤں کو مارتا ہے۔ (دُرِّ مختار ج ۳ ص ۵۷۰) صاحِبَین (یعنی امام ابو یوسف اور امام محمد رَحْمَۃُ اللّٰہِ تعالٰی علیہما) کے نزدیک چُونکہ یہ خوشبو نہیں، لہٰذا یہاں ''جِنایت قاصِرہ'' (نامکمّل جُرْم) کا ثُبوت ہوگا اور اس کا مُوجَب ''صَدَقہ'' ہے۔ **شیمپو** سے سَر دھونے کی صورت میں بھی بظاہر ''جِنایت قاصِرہ'' (یعنی نامکمّل جُرْم) کا وُجُود ہی سمجھ میں آتا ہے کہ اس میں بھی آگ کا عمل ہوتا ہے۔ لہٰذا خوشبو کا حُکم تو ساقِط ہوگیا لیکن بالوں کو نَرم کرنے اور جُوئیں مارنے کی عِلّت (یعنی سبب) موجود ہے، لہٰذا ''صَدَقہ'' واجِب ہونا چاہیے۔ یہ اَمْر بھی قابلِ توجُّہ ہے کہ اگر کسی کے سَر پر بال اور چہرے پر داڑھی نہ ہو، تو کیا اب بھی حُکم سابِق ہی لگایا جائے گا......؟ بظاہر اس صورت میں کفّارے کا حُکم نہیں ہونا چاہیے، کیونکہ حُکمِ مُمانَعت کی عِلّت (سبب) بالوں کا نَرم اور جُوؤں کا ہلاک ہونا تھا، اور مذکورہ صورت

میں یہ عِلّت مَفقُود (یعنی سبب غیر موجود) ہے اور انتِفاءِ عِلّت (یعنی سبب کا نہ ہونا) اِنتِفاءِ مَعْلُول کو مُسْتَلْزِم (لازِم کرنے والی) ہے لیکن اس سے اگر مَیل چُھوٹے تو یہ مکروہ ہے کہ مُحْرِم کو مَیل چُھڑانا مکروہ ہے۔ اور ہاتھ دھونے میں اس کی حیثیّت صابُن کی سی ہے کیونکہ یہ مائع (یعنی لکوِڈ۔liquid) حالت میں صابُن ہی ہے اور اس میں بھی آگ کا عمل کیا جاتا ہے۔

سُوال: مسجِدِ کریمَین کے فرش کی دھلائی میں جو خوشبودار مَحْلُول (SOLUTION) استِعمال کیا جاتا ہے، اُس میں لاکھوں مُحرِمین کے پاؤں سَنتے (یعنی آلودہ) ہوتے رہتے ہیں کیا حُکم ہے؟

جواب: کوئی کَفّارہ نہیں کہ یہ خوشبو نہیں۔ اور بِالفرض یہ مَحْلُول خالِص خوشبو بھی ہوتا، تو بھی کفّارہ واجِب نہ ہوتا، کیونکہ ظاہِر یہ ہے کہ یہ مَحْلُول پہلے پانی میں ملایا جاتا ہے اور پانی اِس مَحْلُول سے زائد اور یہ مَحْلُول مغلوب (کم) ہوتا ہے اور اگر مائع (یعنی لکوِڈ۔liquid) خوشبو کو کسی مائع میں ملایا جائے اور مائع غالِب ہو، تو کوئی جزا نہیں ہوتی۔ کُتُبِ فِقْہ میں جو مَشروبات کا حُکم عُموماً تحریر ہے اِس سے مُراد ٹھوس خوشبو کا مائع میں ملایا جانا ہے۔

عَلّامہ حسین بن محمد عبدُالغنی مکّی عَلَیْہِ رَحْمَۃُ اللہِ القَوِی ''اِرشادُ السّاری'' صَفْحَہ

316 میں فرماتے ہیں: اور اسی سے معلوم ہوتا ہے کہ گیلی شکر (یعنی میٹھا شربت) اور اس کی مِثْل، گلاب کے پانی کے ساتھ ملایا جائے، تو اگر عَرَقِ گلاب مغلوب ہو، جیسا کہ عادۃً ایسا ہی عام طور پر ہوتا ہے، تو اس میں کوئی کفّارہ نہیں اور حضرتِ علّامہ علی قاری عَلَیْہِ رَحْمَۃُ اللّٰہِ الْبَارِی نے اسی کی مِثْل ''طرابُلُسی'' سے نَقْل کیا اور اسے برقرار رکھا اور اس کی تائید کی اور اس کی اصل ''مُحِیط'' میں ہے۔ (ایضاص۲۸ تا ۲۹)

سُوال: مُحْرِم نے اگر ٹوتھ پیسٹ استعمال کرلی تو کیا کفّارہ ہے؟

جواب: ٹوتھ پیسٹ میں اگر آگ کا عمل ہوتا ہے، جیسا کہ یہی مُتَبادِر (یعنی ظاہر) ہے، جب تو حکمِ کفّارہ نہیں، جیسا کہ ماقَبْل تفصیل سے گزر چکا۔ (ایضاص ۳۳) البتہ اگر منہ کی بدبُو دُور کرنے اور خوشبو حاصِل کرنے کی نیت ہو تو مکروہ ہے۔ میرے آقا اعلیٰ حضرت، امامِ اہلسنّت، مجدِّدِ دین وملّت، مولانا شاہ امام احمد رضا خان عَلَیْہِ رَحْمَۃُ الرَّحْمٰن فرماتے ہیں: ''تمباکو کے قِوام میں خوشبو ڈال کر پکائی گئی ہو، جب تو اس کا کھانا مُطْلَقاً جائز ہے اگرچہ خوشبو دیتی ہو، ہاں خوشبو ہی کے قَصْد سے اسے اختیار کرنا کراہت سے خالی نہیں۔'' (فتاویٰ رضویہ ج۱۰ص ۷۱۶)

سِلے ہوئے کپڑے وغیرہ کے مُتَعلِّق سُوال وجواب

سُوال: مُحرِم نے اگر بھول کر سِلا ہوا لباس پہن لیا اور دَس منٹ کے بعد یاد آتے ہی اُتار دیا تو کوئی کفّارہ وغیرہ ہے یا نہیں؟

جواب: ہے، اگرچِہ ایک لمحے کے لئے پہنا ہو۔ جان بوجھ کر پہنا ہو یا بُھولے سے، "صَدَقہ" واجِب ہو گیا اور اگر چار پَہر[1] یا اِس سے زِیادہ چاہے لگا تار کئی دِن تک پہنے رہا "دَم" واجِب ہو گا۔ (فتاوٰی رضویہ مُخرَّجہ ج۱۰ص۷۵۷)

سُوال: اگر ٹوپی یا عمامہ پہنا یا اِحْرام ہی کی چادر مُحْرِم نے سَر یا مُنہ پر اَوڑھ لی یا اِحْرام کی نیّت کرتے وَقْت مَرْد سلے ہوئے کپڑے یا ٹوپی اُتارنا بھول گیا یا بھیڑ میں دوسرے کی چادر سے مُحْرِم کا سَر یا مُنہ ڈھک گیا تو کیا سزا ہے؟

جواب: جان بوجھ کر ہو یا بُھول کر یا کسی دوسرے کی کوتاہی کی بِنا پر ہوا ہو کفّارے دینے ہوں گے ہاں جان بوجھ کر جُرْم کرنے میں گناہ بھی ہے لٰہذا توبہ بھی واجِب ہو گی۔ اب کفّارہ سمجھ لیجئے: مَرْد سارا سَر یا سَر کا چوتھائی (1/4) حصّہ یا مَرْد خواہ عورَت مُنہ کی ٹِکلی ساری یعنی پورا چہرہ یا چوتھائی حصّہ چار پَہر

---

[1] چار پَہر یعنی ایک دن یا ایک رات کی مقدار مَثَلاً طلوعِ آفتاب سے غُروبِ آفتاب یا غُروبِ آفتاب سے طلوعِ آفتاب یا دوپَہر سے آدھی رات یا آدھی رات سے دوپَہر تک۔ (حاشیہ اَنوارُ البشارہ مع فتاوٰی رضویہ مُخرَّجہ ج۱۰ص۷۵۷)

یا زیادہ لگا تار چُھپائیں "دَم" ہے اور چوتھائی سے کم چار پہر تک یا چار پہر سے کم اگرچہ سارا مُنہ یا سَر تو "صَدَقہ" ہے اور چہارُم (یعنی چوتھائی) سے کم کو چار پہر سے کم تک چھپائیں تو کفّارہ نہیں مگر گناہ ہے۔ (ایضاً ص ۷۰۸)

سُوال: نزلے میں کپڑے سے ناک پونچھ سکتے ہیں یا نہیں؟

جواب: کپڑے سے نہیں پونچھ سکتے، کپڑا یا تولیہ دُور رکھ کر اُس میں ناک سِنک (یعنی جھاڑ) لیجئے۔ صَدرُ الشَّریعہ، بَدرُ الطَّریقہ حضرتِ علّامہ مولانا مفتی محمد امجد علی اعظمی عَلَیْہِ رَحْمَۃُ اللہِ القَوِی فرماتے ہیں: کان اور گُدّی کے چُھپانے میں حَرَج نہیں۔ یوہیں ناک پر خالی ہاتھ رکھنے میں اور اگر ہاتھ میں کپڑا ہے اور کپڑے سَمیت ناک پر ہاتھ رکھا تو کفّارہ نہیں مگر مکروہ و گناہ ہے۔ (بہارِ شریعت ج ۱ص ۱۱۶۹)

اِحْرام میں ٹِشو پیپر کا استِعمال

سُوال: ٹِشو پیپر سے مُنہ کا پسینہ یا وُضو کا پانی یا نزلے میں ناک پونچھ سکتے ہیں یا نہیں؟

جواب: نہیں پونچھ سکتے۔

سُوال: تو مُنہ پر کپڑے یا ٹِشو پیپر کا ماسک لگانا کیسا؟

جواب: ناجائز و گناہ ہے۔ شرائط پائے جانے کی صورت میں کفّارہ بھی لازِم ہو گا۔

سُوال: مُحْرِم نے خوشبودار ٹِشو پیپر استعمال کر لیا تو؟

جواب: خوشبودار ٹشو پیپر میں اگر خوشبو کا عَین موجود ہے یعنی وہ پیپر خوشبو سے بھیگا ہوا ہے، تو اس تری کے بدن پر لگنے کی صورت میں جو حُکم خوشبو کا ہوتا ہے، وُہی اس کا بھی ہوگا۔ یعنی اگر قلیل (یعنی کم) ہے اور عُضوِ کامِل (یعنی پورے عُضو) کو نہ لگے، تو صَدَقہ، ورنہ اگر کثیر (یعنی زیادہ) ہو یا کامِل (پورے) عُضو کو لگ جائے، تو دَم ہے۔ اور اگر عَین موجود نہ ہو بلکہ صِرْف مہک آتی ہو تو اگر اِس سے چہرہ وغیرہ پُونچھا اور چِہرے یا ہاتھ میں خوشبو کا اثر آ گیا، تو کوئی "کَفّارہ" نہیں کہ یہاں خوشبو کا عَین نہ پایا گیا اور ٹشو پیپر کا مقصودِ اَصلی خوشبو سے نَفْع لینا نہیں۔ (اِحرام اور خوشبودار صابُن ص ۳۱) اگر کوئی ایسے کمرے میں داخِل ہوا جس کو دھونی دی گئی اور اس کے کپڑے میں مہک بس گئی، تو کوئی کفّارہ نہیں، کیونکہ اس نے خوشبو کے عَین سے نَفْع نہیں اٹھایا۔ (عالمگیری ج ۱ ص ۲۴۱)

سُوال: سوتے وَقْت سِلی ہوئی چادر اَوڑھ سکتے ہیں یا نہیں؟

جواب: چہرہ بچا کر ایک بلکہ اس سے زِیادہ چادریں بھی اَوڑھ سکتے ہیں، خواہ پاؤں پورے ڈھک جائیں۔

سُوال: طیّارے یا بس وغیرہ کی اگلی نِشَست کے پیچھے یا تکیے پر منہ رکھ کر مُحْرِم سو گیا

کیا حُکم ہے؟

جواب: تکیہ میں مُنہ رکھ کر سونے پر کوئی کَفّارہ نہیں لیکن یہ مکروہِ تحریمی ہے۔ جبکہ بس وغیرہ کی اگلی سیٹ کے پیچھے منہ رکھ کر سونا جائز ہے کیونکہ عمومی طور پر سیٹ تختی، دروازہ کی طرح سَخْت ہوتی ہے نہ کہ تکیہ کی طرح نَرم۔

سُوال: گُھٹنوں میں مُنہ رکھ کر سونا کیسا؟ تکیہ پر منہ رکھ کر سونے میں کَفّارہ نہیں مگر مکروہ ہے، کیوں؟

جواب: اگر تو صِرْف گُھٹنوں پر مُنہ ہو یعنی گُھٹنے کی سختی پر تو جائز ہے، کیونکہ کپڑے کے اندر اگر سَخْت چیز ہو تو اس سَخْت چیز کا حُکْم لگتا ہے نہ کہ کپڑے کا، جیسا کہ عُلَماء نے بوری اور گٹھڑی (کپڑے کے علاوہ) کا حُکْم لکھا ہے۔ لیکن گُھٹنے پر مُنہ رکھ کر سونے میں یہ کیفیت بَہُت مشکل ہے بلکہ نیند کے دوران گُھٹنے کی سختی پر اور صِرْف کپڑے پر چِہرہ آتا رہے گا لٰہذا اس سے اِحتِراز کیا (یعنی بچا) جائے ورنہ کفّارے کی صورتیں پیدا ہو سکتی ہیں اور جہاں تک تکیے کا تعلُّق ہے تو وہ نرمی میں کپڑے کے مُشابہ ہے (اس لیے مَنْع کیا گیا) مگر مِنْ کُلِّ الْوُجُوہ (یعنی ہر طرح سے) کپڑا نہیں (اس لیے کَفّارہ نہیں)۔

سُوال: مُحْرِم سردی سے بچنے کیلئے زِپ (zip) والے بستر ے میں چِہرہ اور سَر چھوڑ

کر باقی بدن بند کر کے سَو سکتا ہے یا نہیں؟

جواب: سَو سکتا ہے۔ کیوں کہ عادتاً اِسے لباس پہننا نہیں کہتے۔

سُوال: مُحْرِم کو قطرے آتے ہوں تو کیا کرے؟

جواب: بے سِلا لنگوٹ باندھ لے کہ اِحْرام میں لنگوٹ باندھنا مُطْلَقًا جائز ہے جبکہ سِلائی والا نہ ہو۔ (مُلَخَّص از فتاوٰی رضویہ ج ۱۰ ص ٦٦٤)

سُوال: کیا بیماری وغیرہ کی مجبوری سے سِلا ہوا لباس پہننے میں بھی کَفّارے ہیں؟

جواب: جی ہاں۔ بیماری وغیرہ کے سبب اگر سَر سے پاؤں تک سب کپڑے پہننے کی ضَرورت پیش آئی تو ایک ہی جُرم غیر اختیاری[1] ہے۔ اگر چار پَہَر پہنے یا زِیادہ تو **دَم** اور کم میں ''صَدَقہ'' اور اگر اُس بیماری میں اس جگہ ضَرورت ایک کپڑے کی تھی اور ۲ دو پہن لئے مَثَلاً ضَرورت کُرتے کی تھی اور سِلائی والا بَنیان بھی پہن لیا تو اِس صُورت میں کَفّارہ تو ایک ہی ہوگا مگر گنہگار ہوگا اور اگر دوسرا کپڑا دوسری جگہ پہن لیا مَثَلاً ضَرورت پاجامے کی تھی اور کُرتا بھی پہن لیا تو ایک جُرم غیر اِختیاری ہُوا اور ایک جُرْم اِختیاری۔ (مُلَخَّص از بہارِ شریعت ج ۱ ص ۱۱۶۸، عالمگیری ج ۱ ص ۲٤۲)

---

[1] جُرْم غیر اِختیاری کا مسئلہ صَفْحہ 136 پر مُلاحَظہ فرمایئے۔

سُوال: اگر بغیر ضَرورت سارے کپڑے پہن لئے تو کتنے کَفّارے دینا ہوں گے؟

جواب: اگر بغیر ضَرورت سب کپڑے ایک ساتھ پہن لئے تو ایک ہی جُرم ہے۔ دو جُرم اُس وَقت ہیں کہ ایک ضَرورت سے ہو اور دوسرا بلا ضَرورت۔ (بہارِ شریعت ج ۱ ص ۱۱۶۸)

سُوال: اگر مُنہ دونوں ہاتھوں سے چُھپا لیا یا سَر یا چہرے پر کسی نے ہاتھ رکھ دیا؟

جواب: سَر یا ناک پر اپنا یا دوسرے کا ہاتھ رکھنا جائز ہے چُنانچِہ حضرتِ علّامہ علی قاری عَلَیْہِ رَحْمَۃُ اللهِ البارِی فرماتے ہیں: اپنا یا دوسرے کا ہاتھ اپنے سَر یا ناک پر رکھنا بِالْاِتِّفاق مُباح (یعنی جائز) ہے کیونکہ ایسا کرنے والے کو ڈھکنے یا چھپانے والا نہیں کہا جاتا۔ (لُبابُ المَناسِك والمُسلَكُ المُتَقسِّط ص ۱۲۳)

سُوال: تو کیا مُحْرِم دُعا مانگنے کے بعد اپنے ہاتھ مُنہ پر نہیں پھیر سکتا؟

جواب: پھیر سکتا ہے، مُنہ پر ہاتھ رکھنے کی مُطْلَقًا اجازت ہے، داڑھی والا اسلامی بھائی منہ پر بعدِ دُعا بلکہ وُضو میں بھی اِس انداز میں ہاتھ مَلنے سے بچے جس سے بال گرنے کا اندیشہ ہو۔

سُوال: اگر کندھے پر سلے ہوئے کپڑے ڈال لئے تو کیا کَفّارہ ہے؟

جواب: کوئی کَفّارہ نہیں۔ صَدْرُ الشَّریعہ رَحْمَۃُ اللهِ تعالٰی علیہ فرماتے ہیں: پہننے کا

مطلب یہ ہے کہ وہ کپڑا اس طرح پہنے جیسے عادۃً پہنا جاتا ہے، ورنہ اگر کُرتے کا تہبند باندھ لیا یا پاجامے کو تہبند کی طرح لپیٹا پاؤں پائنچے میں نہ ڈالے تو کچھ نہیں۔ یوہیں انگرکھا پھیلا کر دونوں شانوں پر رکھ لیا، آستینوں میں ہاتھ نہ ڈالے تو کَفّارہ نہیں مگر مکروہ ہے اور مونڈھوں (یعنی کندھوں) پر سلے کپڑے ڈال لیے تو کچھ نہیں۔ (بہارِ شریعت ج۱ص۱۱۶۹)

حَلْق و تَقْصِیر کے مُتَعلِّق سُوال و جواب

سُوال: اگر عُمرے کا حَلْق حَرَم سے باہَر کروانا چاہے تو کرواسکتا ہے یا نہیں؟

جواب: نہیں کرواسکتا، کروائے گا تو دَم واجِب ہوگا، ہاں اِس کے لئے وَقْت کی کوئی قید نہیں۔ (دُرِّمُختار و رَدُّالْمُحتار ج۳ص٦٦٦)

سُوال: کیا جَدّہ شریف وغیرہ میں کام کرنے والوں کو بھی ہر بار عُمرے میں حَلْق یا تَقْصِیر کرنا واجِب ہے؟

جواب: جی ہاں۔ ورنہ اِحْرام کی پابندیاں خَتْم نہ ہوں گی۔

سُوال: جس عورت کے بال چھوٹے ہوں (جیسا کہ آج کل فیشن ہے) عُمروں کا بھی جذبہ ہے مگر بار بار قَصْر کرنے میں سر کے بال ہی خَتْم ہوجائیں گے، کیا کرے؟ اگر سَر کے سارے بال خَتْم ہوگئے یعنی ایک پورے سے کم رہ

گئے تو اب عُمرے کرے گی تو قَصْر ممکن نہ رہا، معافی ملے گی یا کیا؟

جواب: جب تک سَر پر بال موجود ہوں عورت کیلئے ہر بار قَصْر واجِب ہے۔ رسولُ الله صَلَّی اللہ تعالیٰ علیہ والہٖ وسلَّم نے ارشاد فرمایا: ’’عورتوں پر حَلْق نہیں بلکہ ان پر صِرْف تقصیر (واجِب) ہے۔‘‘ (ابوداؤد ج ۲ ص ۲۹۵ حدیث ۱۹۸۴) ایسی عورت جس کے بال ایک پورے سے کم رہ گئے ہوں، اس کیلئے اب قَصْر کی مُعافی ہے کیونکہ قَصْر ممکن نہ رہا اور حَلْق کرانا اس کے لیے منع ہے۔ ایسی صورت میں اگر حج کا مُعامَلہ ہے تو افضل یہ ہے کہ ایّامِ نَحْر کے آخِر میں (یعنی 12 ذُوالْحِجَّۃِ الْحرام کے غروبِ آفتاب کے بعد) اِحْرام سے باہَر آئے، اگر ایّامِ نَحْر کے آخِر تک اِنتِظار نہ بھی کیا تو کوئی چیز لازِم نہ ہوگی۔

مُتَفَرِّق سُوال وجواب

سُوال: سَر یا مُنہ زخمی ہو جانے کی صورت میں پٹّی باندھنا گناہ تو نہیں؟

جواب: مجبوری کی صورت میں گناہ نہیں ہوگا، البتّہ ’’جُرمِ غیر اِختیاری‘‘ کا کفّارہ دینا آئے گا۔ لہٰذا اگر دِن یا رات یا اِس سے زِیادہ دیر تک اِتنی چوڑی پٹّی باندھی کہ چوتھائی (1/4) یا اِس سے زِیادہ سَر یا مُنہ چُھپ گیا تو دَم اور کم میں صَدَقہ واجِب ہوگا (جُرمِ غیر اِختیاری کی تفصیل صَفْحَہ 136 پر مُلاحَظہ فرمایئے)

اِس کے علاوہ جِسم کے دوسرے اَعضا پر نیز عورت کے سَر پر بھی مجبوراً پٹّی باندھنے میں کوئی مُضایقہ نہیں۔

سُوال: حج یا عمرے کی سَعْی کے قبل حَلْق کروالیا کئی روز گزر گئے کیا کرے؟

جواب: حج میں حَلْق کا مسنون وَقْت سَعْی سے قَبْل ہی ہوتا ہے یعنی حَلْق سے پہلے سَعْی کرنا خلافِ سنّت ہے۔ لہٰذا اگر کسی نے سَعْی سے قَبْل حلْق کروایا تو کوئی حَرَج نہیں۔ اور کئی دن گزرنے سے بھی مزید کچھ لازِم نہیں آئے گا کیونکہ سَعْی کے لئے کوئی وَقتِ انتہاء (END TIME) مُقرّر نہیں ہے۔ ہاں اگر وہ سَعْی کے بِغیر ''وطن'' چلا گیا تو اب ترکِ واجِب کی وجہ سے دَم لازِم آئے گا، پھر اگر وہ لوٹ کر سَعْی کرلے تو دَم ساقِط ہو جائے گا البتّہ بہتر یہ ہے کہ اب وہ دَم ہی دے کہ اس میں نَفْعِ فُقَراء ہے۔ یہ حُکْم اسی وَقْت ہے کہ جب حَلْق اپنے وَقت یعنی ایّامِ نَحْر میں دسویں کی رَمْی کے بعد کروایا ہو، اگر رَمْی سے قَبْل یا ایّامِ نَحْر کے بعد حَلْق کروایا تو دَم واجِب ہوگا۔ عُمرے میں اگر کسی نے سَعْی سے قبل حَلْق کروایا تو اس پر دَم لازِم آئے گا۔ پھر اگر پورا یا طَواف کا اکثر حصّہ یعنی چار پھیرے کر چکا تھا تو اِحْرام سے نکل جائے گا ورنہ نہیں۔ کئی دن گزر جانے کی وجہ سے بھی سَعْی

ساقِط نہیں ہوگی کیونکہ یہ واجب ہے لہٰذا اسے سَعی کرنی ہوگی۔

سُوال: کیا13 ذُوالْحِجَّۃِ الْحرام سے عُمرے شُروع کردیئے جائیں؟

جواب: جی نہیں۔ اَیّامِ تَشرِیق یعنی 9،10،11،12 اور 13 ذُوالحِجَّۃِ الْحرام اِن پانچ دِنوں میں عُمرے کا اِحْرام باندھنا مکروہِ تحریمی (ناجائز و گناہ) ہے۔ اگر باندھا تو دَم لازِم آئے گا۔ (دُرِّ مُختار ج ۳ ص ۵۴۷)

13 کو غروبِ آفتاب کے بعد اِحْرام باندھ سکتے ھیں

سُوال: کیا مقامی حضرات جنہوں نے اِس سال حج نہیں کیا وہ بھی ان دنوں یعنی نویں تا تیرھویں پانچ دن عُمرہ نہیں کر سکتے؟

جواب: ان کے لیے بھی ان دنوں عُمرے کا اِحْرام باندھ کر عُمرہ کرنا مکروہِ تحریمی ہے۔ آفاقی، حِلّی اور مِیقاتی سبھی کیلئے اصل ممانَعت ان دنوں میں عُمرے کا اِحْرام باندھنے کی ہے۔ عُمرہ کا وَقْت پورا سال ہے، مگر پانچ دن عُمرہ کا اِحْرام باندھنا مکروہِ تحریمی ہے، اور اگر نویں سے قَبْل باندھے ہوئے اِحْرام کے ساتھ ان (پانچ) دنوں میں عُمرہ کیا تو کوئی حَرَج نہیں اور اس صورت میں بھی مُسْتَحَب یہ ہے کہ ان دنوں کو گزار کر عُمرہ کرے۔

(لُبابُ الْمَناسِك ص۴٦٦)

سُوال: اَشْھُرِ حج میں اگر کوئی حِلّی یا حَرَمی عُمرہ بھی کرے اور حج بھی کرے تو اس کے بارے میں کیا حُکم ہے؟

جواب: ایسا کرنے والے پر دَم واجب ہو جائے گا کیوں کہ اس کو صِرف حجِّ اِفراد کی اجازت ہے جس میں عُمرہ شامل نہیں۔ البتّہ وہ صِرف عُمرہ کر سکتا ہے۔

سُوال: اِحْرام میں کھانے سے قَبْل اور بعد ہاتھ دھونا کیسا؟ نہ دھونے سے مَیل کُچیل پیٹ میں جائے گا اور بعد میں نہیں دھوئیں گے تو ہاتھ چِکنے اور بدبُودار رہیں گے، کیا کریں؟

جواب: دونوں بار بِغیر صابُن وغیرہ کے ہاتھ دھولیجئے اگر کوئی خارِجی کالک یا چکناہٹ ہاتھوں میں لگی ہو تو ضَرورتاً کپڑے سے پونچھ لیجئے مگر بال نہ ٹوٹیں اس کی اِحتیاط کیجئے۔

سُوال: وُضو کے بعد مُحْرِم کا رُومال سے ہاتھ مُنہ پونچھنا کیسا ہے؟

جواب: مُنہ پر (اور مَرد سَر پر بھی) کپڑا نہیں لگا سکتے، جِسْم کا باقی حصّہ مَثَلاً ہاتھ وغیرہ اتنی اِحتِیاط کے ساتھ پونچھ سکتے ہیں کہ مَیل بھی نہ چھوٹے اور بال بھی نہ ٹوٹے۔

سُوال: مُحْرِمہ چہرہ بچا کر پی کیپ والا یا کمانی دار نِقاب ڈال سکتی ہے یا نہیں؟

جواب: ڈال سکتی ہے مگر ہوا چلی یا غَلَطی ہی سے اپنا ہاتھ نِقاب پر رکھ لیا جس کے

سبب چاہے تھوڑی سی دیر کیلئے بھی چِہرے پر نِقاب لگ گیا تو کَفّارے کی صورت بن سکتی ہے۔

سُوال: حَلْق کرواتے وَقْت مُحْرِم سَر پر صابُن لگائے یا نہیں؟

جواب: صابُن نہ لگائے کیوں کہ مَیل چھوٹے گا اور مَیل چُھڑانا اِحْرام میں مکرُوہِ (تنزیہی) ہے۔

سُوال: ماہواری کی حالت میں عورت اِحْرام کی نیّت کرسکتی ہے یا نہیں؟

جواب: کرسکتی ہے مگر اِحْرام کے نَفْل ادا نہیں کرسکتی، نیز طواف پاک ہونے کے بعد کرے۔

سُوال: سِلائی والے چپل پہننا کیسا ہے؟

جواب: وَسْطِ قدم یعنی قدم کا اُبھرا ہوا حصّہ اگر نہ چُھپائیں تو حَرَج نہیں۔

سُوال: اِحْرام میں گِرَہ یا بکسُوا (سیفٹی پن) یا بٹن لگانا کیسا؟

جواب: خلافِ سنّت ہے۔ لگانے والے نے بُرا کیا، البتہ دَم وغیرہ نہیں۔

سُوال: مُحْرِم ناک یا کان کا میل نکال سکتا ہے یا نہیں؟

جواب: وُضو میں ناک کے نرم بانسے تک روئیں روئیں پر پانی بہانا سُنّتِ مُؤکدہ

ہے اور غُسل میں فَرض ۔لہٰذا اگر ناک میں رینٹھ سوکھ گئی تو چھڑانا ہوگا، اور پلکوں وغیرہ میں اگر آنکھ کی چیپڑ سوکھ گئی ہے تو اُسے بھی وُضو اور غُسل کیلئے چُھڑانا فرض ہے مگر یہ اِحتِیاط ضَروری ہے کہ بال نہ ٹوٹے۔ رہا کان کا مَیل نکالنا تو اِسے چھڑانے کی اجازت کی صَراحت کسی نے نہیں کی لہٰذا اِس کا حُکم وُہی ہوگا جو بدن کے مَیل کا ہے یعنی اِس کا چُھڑانا مکروہِ تنزیہی ہے۔ مگر یہ اِحتِیاط ضَروری ہے کہ بال نہ ٹوٹے۔

سُوال: کیا زِندہ والدَین کے نام پر عُمرہ کرسکتے ہیں؟

جواب : کرسکتے ہیں۔ فرض نَماز، روزہ، حج، زکوٰۃ نیز ہر قِسم کے نیک کام کا ثواب زندہ، مُردہ سب کو اِیصال کرسکتے ہیں۔

سُوال: اِحْرام کی حالت میں جُوں مارنے کے کَفّارے بتادیجئے۔

جواب: اپنی جُوں اپنے بدن یا کپڑے میں ماری یا پھینک دی تو ایک جُوں ہو تو روٹی کا ایک ٹکڑا اور دو یا تین ہوں تو ایک مُٹھی اَناج اور اِس (یعنی تین) سے زِیادہ میں صَدَقہ۔ جُوئیں مارنے کے لئے سَر یا کپڑا دھویا یا دُھوپ میں ڈالا جب بھی وُہی کَفّارے ہیں جو مارنے میں ہیں۔ دوسرے نے اِس کے کہنے پر اِس کی جُوں ماری جب بھی اِس (یعنی مُحْرِم) پر کَفّارہ ہے

اگرچہ مارنے والا اِحْرام میں نہ ہو۔ زمین وغیرہ پر گری ہوئی جُوں یا دوسرے کے بدن یا کپڑوں کی جُوئیں مارنے میں مارنے والے پر کچھ نہیں اگرچہ وہ دوسرا بھی مُحْرِم ہو۔

عَرَب شریف میں کام کرنے والوں کے لئے

سُوال: اگر مکّۂ مکرَّمہ زادَھَااللّٰہُ شَرَفاً وَّتَعۡظِیۡمًا میں کام کرنے والے مَثَلاً ڈرائیور یا وہاں کے باشندے وغیرہ روزانہ بار بار "طائف شریف" جائیں تو کیا ہر بار واپَسی میں انھیں روزانہ عُمرے وغیرہ کا اِحْرام باندھنا ضَروری ہے؟

جواب: یہ قاعدہ ذِہن نشین کر لیجئے کہ اَہلِ مَکّہ اگر کسی کام سے "حُدُودِ حَرَم" سے باہَر مگر مِیقات کے اندر (مَثَلاً جدّہ شریف) جائیں تو اُنھیں واپَسی کے لئے اِحْرام کی حاجت نہیں اور اگر "مِیقات" سے باہَر (مَثَلاً مدینۂ پاک، طائف شریف، رِیاض وغیرہ) جائیں تو اب بغیر اِحْرام کے "حُدُودِ حرم" میں واپَس آنا جائز نہیں ۔ ڈرائیور چاہے دن میں کئی بار آنا جانا کرے ہر بار اُس پر حج یا عُمرہ واجِب ہوتا رہے گا۔ بغیر اِحْرام کے مکّۂ مکرَّمہ زادَھَااللّٰہُ شَرَفاً وَّتَعۡظِیۡمًا آئے گا تو دَم واجِب ہوگا اگر اِسی سال مِیقات سے باہَر جا کر اِحْرام باندھ لے تو دَم ساقِط ہو جائیگا۔

اِحْرام نہ باندھنا ہوتو حِیلہ

سُوال: اگر کوئی شَخْص جَدَّہ شریف میں کام کرتا ہوتو اپنے وطن مَثَلاً پاکستان سے کام کے لئے جَدَّہ شریف آیا تو کیا اِحْرام لازِمی ہے؟

جواب: اگر نیّت ہی جَدَّہ شریف جانے کی ہے تو اب اِحْرام کی حاجت نہیں بلکہ اب جَدَّہ شریف سے مَکّۂ مُعَظَّمہ زادَھَا اللہُ شَرَفاً وَّ تَعۡظِیۡماً بھی جانا ہو جائے تو اِحْرام کے بِغیر جاسکتا ہے۔لہٰذا جو شَخْص مکّۂ مکرَّمہ زادَھَا اللہُ شَرَفاً وَّ تَعۡظِیۡماً میں بِغیر اِحْرام جانا چاہتا ہو وہ حِیلہ کرسکتا ہے بشرطیکہ واقِعی اُس کا اِرادہ پہلے مَثَلاً جَدَّہ شریف جانے کا ہو اور مَکّۂ مُعَظَّمہ زادَھَا اللہُ شَرَفاً وَّ تَعۡظِیۡماً حج وعُمرے کے اِرادے سے نہ جاتا ہو۔ مَثَلاً تجارت کے لئے جَدَّہ شریف جاتا ہے اور وہاں سے فارِغ ہو کر مکّۂ مکرَّمہ زادَھَا اللہُ شَرَفاً وَّ تَعۡظِیۡماً کا اِرادہ کیا۔اگر پہلے ہی سے مکّۂ پاک زادَھَا اللہُ شَرَفاً وَّ تَعۡظِیۡماً کا اِرادہ ہے تو بِغیر اِحْرام نہیں جاسکتا۔ جو شَخْص دوسرے کی طرف سے حجِّ بَدَل کو جاتا ہے اُسے یہ حِیلہ جائز نہیں۔

عُمرہ یا حج کے لئے سُوال کرنا کیسا؟

سُوال: بعض غریب عُشّاق عُمرہ یا سفرِ حج کے لئے لوگوں سے مالی اِمداد کا سُوال

کرتے ہیں، کیا ایسا کرنا جائز ہے؟

جواب: حرام ہے۔ صَدْرُ الْاَفاضِل مولانا نعیمُ الدِّین مُراد آبادی عَلَیْہِ رَحْمَۃُ اللہِ الھادِی نَقْل کرتے ہیں: ''بعض یَمَنی حج کے لئے بے سروسامانی کے ساتھ روانہ ہوتے تھے اور اپنے آپ کو مُتَوَکِّل (یعنی اللہ عَزَّوَجَلَّ پر بھروسا رکھنے والا) کہتے تھے اور مَکَّۂ مکرّمہ پہنچ کر سُوال شُروع کر دیتے اور کبھی غَصْب و خِیانَت کے بھی مُرتکِب ہوتے، اُن کے بارے میں یہ آیتِ مقدّسہ نازِل ہوئی اور حُکْم ہُوا کہ توشہ (یعنی سفر کے اَخراجات) لے کر چلو اَوروں پر بار نہ ڈالو، سُوال نہ کرو کہ بہتر توشہ (یعنی زادِراہ) پرہیز گاری ہے۔''

(خزائنُ العرفان ص۶۷ مکتبۃ المدینہ)

چُنانچِہ پارہ 2 سُوْرَۃُ الْبَقَرۃ آیت نمبر 197 میں ارشادِ ربُّ الْعِباد ہوتا ہے:

وَتَزَوَّدُوْا فَاِنَّ خَیْرَ الزَّادِ التَّقْوٰی (پ ۲، البقرہ ۱۹۷)

ترجَمۂ کنزُالایمان: اور توشہ ساتھ لو کہ سب سے بہتر توشہ پرہیز گاری ہے۔

سُلطانِ مدینہ، راحتِ قلب وسینہ صَلَّی اللہُ تعالٰی علیہ واٰلہٖ وسلَّم کا فرمانِ باقرینہ ہے: ''جو شخص لوگوں سے سُوال کرے حالانکہ نہ اُسے فاقہ پہنچا نہ اِتنے بال بچے ہیں جن کی طاقت نہیں رکھتا تو قِیامت کے دِن اس طرح آئے گا کہ اُس کے مُنہ پر گوشت نہ ہوگا۔''

(شُعَبُ الْاِیمان ج۳ ص۲۷۴ حدیث ۳۵۲۶)

مدینے کے دیوانو! بس صَبْر کیجئے، سُوال کی مُمانعت میں اِس قدر اِہتمام ہے کہ فُقَہائے کرام رَحِمَھُمُ اللہُ السَّلام فرماتے ہیں: غُسْل کے بعد اِحْرام باندھنے سے پہلے اپنے بدن پر خوشبو لگایئے بشرطیکہ اپنے پاس موجود ہو، اگر اپنے پاس نہ ہو تو کسی سے طَلَب نہ کیجئے کہ یہ بھی سُوال ہے۔ (رَدُّالمُحتار ج۳ص۵۵۹)

جب بُلایا آقا نے خود ہی انتظام ہو گئے

صَلُّوا عَلَی الْحَبِیب صلَّی اللہُ تعالٰی علٰی محمَّد

عُمرے کے وِیزے پر حج کیلئے رُکنا کیسا؟

سُوال: بعض لوگ اپنے وطن سے رَمَضانُ الْمبارَک میں عُمرے کا وِیزا لے کر حَرَمَین طَیِّبَین زادَھُمَا اللہُ شَرَفاً وَّتَعظِیمًا جاتے ہیں، وِیزا کی مُدَّت خَتْم ہو جانے کے باوُجُود وَہیں رہتے ہیں یا حج کر کے وطن واپَس جاتے ہیں اُن کا یہ فِعل شَرْعاً دُرُست ہے یا نہیں؟

جواب: دُنیا کے ہر ملک کا یہ قانون ہے کہ بِغیر وِیزا کے کسی غیر ملکی کو رُکنے نہیں دیا جاتا۔ حَرَمَینِ طَیِّبَین زادَھُمَا اللہُ شَرَفاً وَّتَعظِیمًا میں بھی یِہی قاعِدہ ہے۔ مُدَّتِ وِیزا خَتْم ہونے کے بعد رُکنے والا اگر پولیس کے ہاتھ لگ جائے، تو اب چاہے وہ اِحْرام کی حالت میں ہی کیوں نہ ہو اُسے قید کر

لیتے ہیں، نہ اُسے عُمرہ کرنے دیتے ہیں نہ ہی حج، سزا دینے کے بعد "خُروج" لگا کر اُسے اُس کے وَطن روانہ کر دیتے ہیں۔ یاد رہے! جس قانون کی خلاف ورزی کرنے پر ذلّت، رشوت اور جھوٹ وغیرہ آفات میں پڑنے کا اندیشہ ہو اُس قانون کی خلاف ورزی جائز نہیں۔ چُنانچہ میرے آقا اعلیٰ حضرت، امامِ اہلسنّت، مولانا شاہ امام احمد رضا خان عَلَیۡہِ رَحۡمَۃُ الرَّحۡمٰن فرماتے ہیں: "مُباح (یعنی جائز) صورَتوں میں سے بعض (صورَتیں) قانونی طور پر جُرم ہوتی ہیں اُن میں مُلَوَّث ہونا (یعنی ایسے قانون کی خِلاف ورزی کرنا) اپنی ذات کو اذیّت و ذلّت کے لئے پیش کرنا ہے اور وہ ناجائز ہے۔" (فتاوٰی رضویہ ج ۱۷ ص ۳۷۰) لہٰذا بِغیر visa کے دنیا کے کسی مُلک میں رَہنا یا "حج" کیلئے رُکنا جائز نہیں۔ **غیر قانونی ذرائع سے "حج" کیلئے رُکنے میں کامیابی حاصِل کرنے کو مَعَاذَاللہ عَزَّوَجَلَّ اللہ ورسول عَزَّوَجَلَّ وَصَلَّی اللہ تعالیٰ علیہ والہٖ وسلّم کا کرم کہنا سَخت بے باکی ہے۔**

غیر قانونی رُکنے والے کی نماز کا اَہم مسئلہ

سُوال: حج کیلئے بِغیر visa رُکنے والا نماز پوری پڑھے یا قَصر کرے؟

جواب: عُمرے کے وِیزے پر جا کر غیر قانونی طور پر حج کیلئے رُکنے یا دُنیا کے کسی بھی ملک میں visa کی مُدّت پوری ہونے کے بعد غیر قانونی رہنے کی جن کی نیّت ہو وہ ویزا کی مدّت خَتْم ہوتے وقت جس شَہْر یا گاؤں میں مُقیم ہوں وہاں جب تک رہیں گے اُن کیلئے مُقیم ہی کے اَحکام ہوں گے اگرچِہ برسوں پڑے رہیں۔ البتّہ ایک بار بھی اگر 92 کِلو میٹر یا اِس سے زیادہ فاصلے کے سفر کے ارادے سے اُس شَہْر یا گاؤں سے چلے تو اپنی آبادی سے باہَر نکلتے ہی مسافِر ہو گئے اوراب اُن کی اِقامت کی نیّت بے کار ہے۔ مَثَلاً کوئی شَخْص پاکستان سے عُمرے کے VISA پر مکّۂ مکرّمہ زادَھَا اللّٰہُ شَرَفاً وَّ تَعۡظِیۡمًا گیا، VISA کی مُدّت خَتْم ہوتے وَقت بھی مکّہ شریف ہی میں مُقیم ہے تو اُس پر مُقیم کے اَحکام ہیں۔ اب اگر مَثَلاً وہاں سے مدینۂ منوّرہ زادَھَا اللّٰہُ شَرَفاً وَّ تَعۡظِیۡمًا آ گیا تو چاہے برسوں غیر قانونی پڑا رہے، مسافِر ہی ہے، یہاں تک کہ اگر دوبارہ مکّۂ مکرّمہ زادَھَا اللّٰہُ شَرَفاً وَّ تَعۡظِیۡمًا آجائے پھر بھی مسافِر رہے گا، اس کو ''نَمازِ قَصْر'' ہی ادا کرنی ہوگی۔ ہاں دوبارہ VISA مل جانے کی صورت میں اِقامت کی نیّت کی جاسکتی ہے۔

حَرَم میں کبوتروں،ٹِڈّیوں کو اڑانا، ستانا

سُوال: حَرَم کے کبوتروں اور ٹِڈّیوں کو خوامخواہ اُڑانا کیسا؟

جواب: اعلیٰ حضرت رَحْمَۃُ اللّٰہِ تعالٰی علیہ فرماتے ہیں: حَرَم کے کبوتر اُڑانا مَنْع ہے۔

(ملفوظاتِ اعلیٰ حضرت ص ۲۰۸)

سُوال: حَرَم کے کبوتروں اور ٹِڈّیوں (ترِڈّی) کو ستانا کیسا؟

جواب: حرام ہے۔ صَدْرُالشَّریعہ رَحْمَۃُ اللّٰہِ تعالٰی علیہ فرماتے ہیں: حَرَم کے جانور کو شِکار کرنا یا اُسے کسی طرح اِیذا دینا سب کو **حرام** ہے۔ مُحْرِم اور غیر مُحْرِم دونوں اس حُکم میں یکساں ہیں۔ (بہارِ شریعت ج ۱ ص ۱۱۸۶)

سُوال: مُحْرِم کبوتر ذَبْح کر کے کھا سکتے ہیں؟

جواب: بہارِ شریعت جلد اوّل صَفْحہ 1180 پر ہے: مُحْرِم نے جنگل کے جانور کو ذَبْح کیا تو حلال نہ ہوا بلکہ مُردار ہے، ذَبْح کرنے کے بعد اُسے کھا بھی لیا تو اگر کَفّارہ دینے کے بعد کھایا تو اب پھر کھانے کا کَفّارہ دے اور اگر نہیں دیا تھا تو ایک ہی کَفّارہ کافی ہے۔

سُوال: حَرَم کی ٹڈّی پکڑ کر کھا سکتے ہیں یا نہیں؟

جواب: حرام ہے۔ (ویسے ٹِڈّی حلال ہے، مچھلی کی طرح مری ہوئی بھی کھا سکتے ہیں اِس

کوذَبْح کرنے کی ضَرورت نہیں ہوتی)

سُوال: مسجِدُ الْحرام کے باہَر لوگوں کے قدموں سے کُچل کر زخمی اور مری ہوئی بے شمار ٹِڈّیاں پڑی ہوتی ہیں اگر یہ ٹڈّیاں کھالیں تو؟

جواب: اگرکسی نے ٹِڈّیاں کھالیں تو اُس پر کوئی کَفّارہ نہیں کیونکہ حَرَم میں شِکار ہونے والے اُس جانور کا کھانا حرام ہے جو شَرْعی طریقے سے ذَبْح کرنے سے حلال ہوتا ہو جیسے ہِرَن وغیرہ۔ اور ایسے شکار کے حرام ہونے کی وجہ یہ ہے کہ حَرَم میں شِکار کرنے سے وہ جانور مُردار قرار پاتا ہے اور مُردار کا کھانا حرام ہے۔ ٹِڈّی کا کھانا اِس لئے حلال ہے اس میں شَرْعی طریقے سے ذَبْح کرنے کی شَرْط نہیں، یہ جس طرح بھی ذَبْح ہوجائے حلال ہے، جیسے پاؤں تلے روندنے سے یا گلا دبانے سے ماری جائے تب بھی حلال ہی رہتی ہے۔ البتّہ یہ یاد رہے کہ بالقصد (اِرادۃً) ٹِڈّیاں شِکار کرنے کی بَہر حال حُدُودِ حَرَم میں اجازت نہیں۔

سُوال: حَرَم کے خشکی کے جنگلی جانور کو ذَبْح کرنے کا کَفّارہ بھی بتادیجئے۔

جواب: اس کا کَفّارہ اِس کی قیمت صَدَقہ کرنا ہے۔[1]

---

[1] کفارے کے تفصیلی اَحکام مکتبۃُ المدینہ کی مطبوعہ بہارِ شریعت جلد اصَفْحَہ 1179 پر مُلاحظہ فرمایئے بلکہ صفحہ 1191 تک مُطالعہ کرلیجئے۔ اِنْ شَآءَ اللّٰہ عَزَّوَجَلَّ وہ ضَروری مسائل جاننے کو ملیں گے کہ آپ حیران رہ جائیں گے۔

سُوال: حَرَم کی مُرغی ذَبْح کرنا، کھانا کیسا؟

جواب: حلال ہے۔ گھریلو جانور مَثَلاً مُرغی، بکری، گائے، بھینس، اونٹ وغیرہ ذَبْح کرنے، اور ان کا گوشْت کھانے میں کوئی حَرَج نہیں۔ مُمانَعَت خشکی کے وَحْشی یعنی جنگلی جانور کے شِکار کی ہے۔

سُوال: مسجِدُ الْحرام کے باہَر بَہُت ساری ٹِڈّ یاں ہوتی ہیں اگر کوئی ٹِڈّی پاؤں یا گاڑی میں کُچل کر زخمی ہوگئی یا مرگئی تو؟

جواب: کفّارہ دینا ہوگا، بہارِ شریعت جلد اوّل صَفْحَہ 1184 پر ہے: ٹِڈّی بھی خشکی کا جانور ہے، اُسے مارے تو کفّارہ دے اور ایک کھجور کافی ہے۔ صَفْحَہ 1181 پر ہے: کفّارہ لازِم آنے کے لیے قَصْداً (یعنی جان بوجھ کر) قَتْل کرنا شَرْط نہیں بُھول چوک سے قَتْل ہوا جب بھی **کفّارہ** ہے۔

سُوال: مسجِدُ الْحرام میں بکثرت ٹِڈّیاں ہوتی ہیں، خُدّام صفائی کرتے ہوئے وائپر وغیرہ سے بے دردی کے ساتھ گھسیٹتے ہیں جس سے زخمی ہوتیں، مرتی ہیں۔ اگر نہ کریں تو صفائی کی صورت کیا ہوگی؟ اِسی طرح سنا ہے کبوتروں کی تعداد میں کمی کیلئے ان کو پکڑ کر کہیں دُور چھوڑ آتے یا کھا جاتے ہیں۔

جواب: ٹِڈّیاں اگراتنی کثیر ہیں کہ ان کی وجہ سے حَرَج واقع ہوتا ہے تو ان کے مارنے میں کوئی حَرَج نہیں، اس کے علاوہ مارنے پر تاوان لازِم ہوگا، چاہے جان بوجھ کر ماریں یا غَلَطی سے ماری جائیں۔ حَرَم کا کبوتر پکڑ کر ذَبْح کر دیا تو تاوان لازِم ہے یونہی حَرَم سے باہَر بھی چھوڑ آنے پر تاوان لازِم ہوگا، جب تک کہ ان کے اَمن کے ساتھ حَرَم میں واپَس آجانے کا عِلْم نہ ہو جائے۔ دونوں صورَتوں میں تاوان اُس کبوتر کی قیمت ہے اور اس سے مُراد وہ قیمت جو وہاں پر اِس طرح کے مُعامَلات کی معرِفت وبصارت (یعنی جان پہچان ومعلومات) رکھنے والے دو شَخْص بیان کریں اور اگر دو شَخْص نہ ملتے ہوں تو ایک کی بھی بات کا اعتِبار کیا جائے گا۔

سُوال: حَرَم کی مچھلی کھانا کیسا؟

جواب: مچھلی خشکی کا جانور نہیں، اِسے کھا سکتے ہیں اور ضَرورتاً شکار بھی کر سکتے ہیں۔

سُوال: حَرَم کے چوہے کو مار دیا تو کیا کفّارہ ہے؟

جواب: کوئی کفّارہ نہیں اِس کو مارنا جائز ہے۔ بہارِ شریعت جلد اوّل صَفْحہ 1183 پر ہے کوّا، چیل، بھیڑیا، بچّھو، سانپ، چوہا، گھونس، چَھچُھوندر، کٹ کھنا کُتّا (یعنی کاٹ کھانے والا کُتّا)، پِسّو، مچّھر، کِلّی، کچھوا، کیکڑا، پتنگا،

کاٹنے والی چیونٹی، مکّھی، چھپکلی، بِر اور تمام حَشراتُ الْاَرض (یعنی کیڑے مکوڑے) بِجُّو، لومڑی، گیدڑ جب کہ یہ دَرِندے حملہ کریں یا جو دَرِندے ایسے ہوں جن کی عادت اکثر ابتِداءً حملہ کرنے کی ہوتی ہے جیسے شیر، چیتا، تیندوا (چیتے کی طرح کا ایک جانور) اِن سب کے مارنے میں کچھ نہیں۔ یوہیں پانی کے تمام جانوروں کے قَتْل میں کفّارہ نہیں۔

صَلُّوا عَلَی الْحَبِیب ! صلَّی اللہُ تعالیٰ علیٰ محمَّد

حَرَم کے پیڑ وغیرہ کاٹنا

سُوال: حَرَم کے پیڑ وغیرہ کاٹنے کے مُتعلِّق بھی کچھ ہدایات دے دیجئے۔

جواب: دعوتِ اسلامی کے اِشاعَتی اِدارے مکتبۃُ المدینہ کی مطبوعہ 1250 صَفْحات پر مشتمل کتاب، ''بہارِ شریعت جلد اوّل'' صَفْحہ 1189 تا 1190 سے چند مسائل مُلاحَظہ ہوں: حَرَم کے دَرَخْت چار قِسْم ہیں: ﴿۱﴾ کسی نے اُسے بویا ہے اور وہ ایسا دَرَخْت ہے جسے لوگ بویا کرتے ہیں ﴿۲﴾ بویا ہے مگر اس قِسْم کا نہیں جسے لوگ بویا کرتے ہیں ﴿۳﴾ کسی نے اسے بویا نہیں مگر اس قِسْم سے ہے جسے لوگ بویا کرتے ہیں ﴿۴﴾ بویا نہیں، نہ اس قِسْم سے ہے جسے لوگ بوتے ہیں۔ پہلی تین قسموں کے کاٹنے

وغیرہ میں کچھ نہیں یعنی اس پر جُرمانہ نہیں۔ رہا یہ کہ وہ اگر کسی کی مِلک ہے
تو مالِک تاوان لے گا۔ **چوتھی قسم** میں جُرمانہ دینا پڑے گا اور کسی کی مِلک
ہے تو مالِک تاوان بھی لے گا اور جُرمانہ اُسی وَقت ہے کہ تر ہو اور ٹوٹا یا
اُکھڑا ہوا نہ ہو۔ جُرمانہ یہ ہے کہ اُس کی قیمت کا غَلّہ لے کر مساکین پر
تَصَدُّق کرے، ہر مسکین کو ایک صَدَقہ اور اگر قیمت کا غَلّہ پورے صَدَقہ
سے کم ہے تو ایک ہی مسکین کو دے اور اس کے لیے حَرَم کے مساکین ہونا
ضَرور نہیں اور یہ بھی ہوسکتا ہے کہ قیمت ہی تَصَدُّق کر دے اور یہ بھی ہوسکتا
ہے کہ اس قیمت کا جانور خرید کر حَرَم میں ذَبْح کر دے روزہ رکھنا کافی
نہیں۔ **مسئلہ ۴:** جو دَرَخْت سُوکھ گیا اُسے اُکھاڑ سکتا ہے اور اس سے نَفْع
بھی اُٹھا سکتا ہے **مسئلہ ۵:** دَرَخْت کے پتّے توڑے اگر اس سے دَرَخْت
کو نقصان نہ پہنچا تو کچھ نہیں۔ یوہیں جو دَرَخْت پھلتا ہے اُسے بھی
کاٹنے میں تاوان نہیں جب کہ مالِک سے اجازت لے لی ہو اُسے
قیمت دیدے **مسئلہ ۶:** چند شخصوں نے مل کر دَرَخْت کاٹا تو ایک ہی
تاوان ہے جو سب پر تقسیم ہو جائے گا، خواہ سب مُحْرِم ہوں یا غیر مُحْرِم یا
بعض مُحْرِم بعض غیر مُحْرِم۔ **مسئلہ ۷:** حَرَم کے پیلو یا کسی دَرَخْت کی

مِسواک بنانا جائز نہیں۔ **مسئلہ ۹:** اپنے یا جانور کے چلنے میں یا خیمہ نصب کرنے میں کچھ دَرَخْت جاتے رہے تو کچھ نہیں۔ **مسئلہ ۱۰:** ضَرورت کی وجہ سے فتویٰ اس پر ہے کہ وہاں کی گھاس جانوروں کو چرانا جائز ہے۔ باقی کاٹنا، اُکھاڑنا، اس کا وہی حُکم ہے جو دَرَخْت کا ہے۔ سوا اِذخر اور سوکھی گھاس کے کہ ان سے ہرطرح اِنتِفاع جائز ہے۔ کُھمبی کے توڑنے، اُکھاڑنے میں کچھ مُضایقہ نہیں۔

مِیقات سے بِغیر اِحْرام گزرنے کے بارے میں سُوال جواب

سُوال: اگر کسی آفاقی نے مِیقات سے اِحْرام نہیں باندھا، مسجِدِ عائشہ سے اِحْرام باندھ کر عُمرہ کرلیا تو کیا حُکم ہے؟

جواب: اگر مکّۂ مکرَّمہ زادَھَا اللّٰہُ شَرَفًا وَّ تَعظِیمًا کے اِرادے سے کوئی آفاقی چلا اور میقات میں بِغیرِ اِحْرام داخِل ہوگیا تو اُس پر دَم واجِب ہوگیا۔ اب مسجِدِ عائشہ سے اِحْرام باندھنا کافی نہیں یا تو دَم دے یا پھر مِیقات سے باہَر جائے اور وہاں سے عُمرے وغیرہ کا اِحْرام باندھ کر آئے تب دَم ساقِط ہوگا۔

مآخذ ومراجع

قران پاک	مکتبۃ المدینہ باب المدینہ کراچی	الایضاح فی مناسک الحج	المکتبۃ الامدادیہ مکۃ المکرمہ
تفسیر خزائن العرفان	مکتبۃ المدینہ باب المدینہ کراچی	البحر العمیق فی المناسک	موئسسۃ الریان بیروت
بخاری	دار الکتب العلمیۃ بیروت	مسلک متقسط	باب المدینہ کراچی
ابوداؤد	دار احیاء التراث العربی بیروت	لباب المناسک	باب المدینہ کراچی
ترمذی	دار الفکر بیروت	فتاوٰی رضویہ	رضا فاونڈیشن مرکز الاولیاء لاہور
نسائی	دار الکتب العلمیۃ بیروت	بہارِ شریعت	مکتبۃ المدینہ باب المدینہ کراچی
ابن ماجہ	دار المعرفۃ بیروت	فتاوٰی حج وعمرہ	جمیعت اشاعت اہلسنت باب المدینہ کراچی
ابویعلی	دار الکتب العلمیۃ بیروت	احرام اور خوشبودار صابن	مکتبۃ المدینہ باب المدینہ کراچی
معجم کبیر	دار احیاء التراث العربی بیروت	اِحیاء العلوم	دار صادر بیروت
معجم اوسط	دار الکتب العلمیۃ بیروت	کشف المحجوب	نوائے وقت پرنٹر مرکز الاولیاء لاہور
ابوداؤد طیالسی	دار المعرفۃ بیروت	الشفاء	مرکز اہل السنۃ برکات رضا ہند
شعب الایمان	دار الکتب العلمیۃ بیروت	المواہب اللدنیۃ	دار الکتب العلمیۃ بیروت
المنامات	دار الکتب العلمیۃ بیروت	بستان المحدثین	باب المدینہ کراچی
مسند امام شافعی	دار الکتب العلمیۃ بیروت	مثنوی	الفیصل ناشران وتاجران کتب مرکز الاولیاء لاہور
ابن عساکر	دار الفکر بیروت	اخبار الاخیار	فاروقی اکیڈمی گمبٹ پاکستان
جامع العلوم والحکم	دار الکتب العلمیۃ بیروت	جذب القلوب	النوریۃ الرضویۃ پبلشنگ کمپنی مرکز الاولیاء لاہور
درمختار	دار المعرفۃ بیروت	کتاب الحج	مکتبہ نعمانیہ ضیاء کوٹ
ردالمحتار	دار المعرفۃ بیروت	ملفوظاتِ اعلیٰ حضرت	مکتبۃ المدینہ باب المدینہ کراچی
فتاوٰی عالمگیری	دار الفکر بیروت	وسائلِ بخشش	مکتبۃ المدینہ باب المدینہ کراچی

لبیک اللھم لبیک
حج وعمرہ کا طریقہ اور دعائیں
رفیق الحرمین
محمد الیاس عطار قادری رضوی